JN106712

# 神の存在を証明する!!

究極の真理Ⅱ

大野　聖

文芸社

# はじめに

彼の著名な哲学者イマヌエル・カント（一七二四～一八〇四）は、名著「純粋理性批判」に於いて『神の存在を証明するのは不可能』との論断を下しました。

私は三年前に出版した哲学論考「究極の真理」初版に於いて、一人の人間の自我意識には直観の意識である「吾」と、肉体的「我」とがあって「吾」には死が無いこと、即ち「吾」は完結であることを解明して人生の肯定が成立することを立証しました。

其の後、なお初版の論考の延長線上で哲学的思索を進めたところ、現今の宇宙誕生に於いて介在する人智で計り知れない偉大なるものの存在に気付かされることとなりました。

今回此処に、其の偉大なるものとの遭遇の論理と、其の存在の証明を試みるものです。

コンメンタールとして、若干の補筆を加えた初版の第三章と第四章を収録しました。

神との遭遇前の論理展開であることを予めご承知のうえ、神との遭遇を果たした論理の道程としてお読みいただき、一見、本書の理外の理を理としてご理解いただくうえでの参照としていただければ幸いです。

神の存在を証明する!! ── ◆目次

## 補注『究極の真理』より —— 43

# 第一章　潜在能力

## 第一章　潜在能力

　宇宙の始まりはビッグバンに有り、とするのが通説であるなか、此のビッグバンより前の存在としてエネルギーの集積が在ったとの見解が注目に値する。此の一つにエネルギーの揺らめきが在ったとの説が有るが、此処ではエネルギーは粒子であって歴とした物（補注　其の2　八〇頁）として捉えられている。

　ビッグバンも決して無（補注　其の2　一三八頁）からの出発は有り得ず、必ずや前なる物が在るわけであって、此のエネルギー粒子の集積こそ前ビッグバン状態として捉えられているのだ。

　此処ではこうした前ビッグバン状態を元始宇宙、ビッグバン以降を現今宇宙と呼ぶことにする。

　では、此のエネルギー粒子の集積とされる元始宇宙は、如何にしてビッグバンを通して現今宇宙へと変貌を遂げたのであろうか。仮に元始宇宙が現今宇宙に自力で変化したとすれば、一般論的には元始宇宙には現今宇宙へと変化するための潜在能力（ポテンシャル）が内在していたことになろう。
果たして潜在能力は用意されていたのか、其の内容は二つ、「図式」と「力」である。

# 第二章　見えない図式

モノを変化させようとするとき、先ず変化の方向性なり段取りといったイメージづくりが在って然るべきである。

では、元始宇宙を形成するエネルギー粒子の集積にイメージづくりの能力は果たして具わっていたのだろうか。

答えは言を俟たずノーである。イメージづくりが思考（補注　其の１　五八頁）を抜きには成り立たないどころか、思考作用そのものであることは明明白白である。エネルギー粒子の集積である元始宇宙は正に自然そのものであり、其の自然は無思考（補注　其の１　六二頁）であるがゆえ、イメージづくり能力は端から存在するべくもなく、潜在能力として内在しないことは疑う余地の無いところである。

# 第三章　見えない力〈不変の論理〉

エネルギー粒子の集積である元始宇宙がビッグバンを経て現今宇宙に変化する際に要したであろう莫大なエネルギーは、いったい何処に存在したのか。元始宇宙は、それを自身のエネルギーで賄い切れたのだろうか。潜在能力として内包することの妥当性の問題である。

元始宇宙は現今宇宙の前の存在である。これは現在考え得る宇宙の最も旧い形態であって、宇宙の最も初期のそれである。要するに存在として最初から在った物と定義されるべきものである。

宇宙の始まりは無限の過去に遡る（補注　其の2　一四五頁）。無限の過去とは無限の時間的経過を意味する。元始宇宙は、其の無限の過去から現今宇宙の直前まで存在し続けてきた。

此のことは取りも直さず、元始宇宙は無限の過去から現今宇宙の直前まで不変で存在し続けてきたことに外ならない。

無限の過去とは無限の時間的経過であって、これは無限の時間（補注　其の2　一二五頁）と同値である。直証として、無限の時間より長い時間は有り得ない。つまり、無限の時間は、此の世の時間の最大値である。従って、過去に於ける此の無限時間は、最長の過去を意味する。最長の過去は、過去の最大値すなわちＭＡＸの過去を意味する。

時間の最大値である無限時間の、此のＭＡＸの過去を変化せずに存在し続けた以上、此の物は正しく「不変物」であり、延いては此の物が未来に亘ってさえ不変で存在し続ける「絶対不変物」である実相が明確化したに外ならない。

先ず、無限時間であるＭＡＸの過去を不変で徹したものは、過去に対する不変物であることが確定する。

次に、無限時間は此の世の時間の最大値であることから、此の不変物は未来をも含む此の世に対する不変物として、其の存在を不動のものとする。すなわち「絶対不変物」である。

これは自力変化の全面否定であって、一切の他力本願を披瀝しているのだ。外への全面依存である。つまり、外からの何らかの働き掛けが無い限り変化しないし、出来ないのだ。

宇宙の総体は元始宇宙そのものである。それ以外には一切、存在する物は無い。空間（補注　其の2　八六頁）すら無いのだ（補注　其の2　一〇七頁）。

外（そと）は絶対に有り得ない。然るに外からの働き掛け。宇宙という概念を超越した何かからの力ということに成らざるを得ない。勿論、観念（補注　其の2　一〇〇頁）でないことは言うまでもない。

此処に極めて緊要な玄理の発見が有る。

宇宙の最初の物は、それが如何なる物であろうと、それ自身での変化は絶対的不能という宿命論である。

『宇宙最初の物は絶対不変物』

なのである。

## 不変の論理

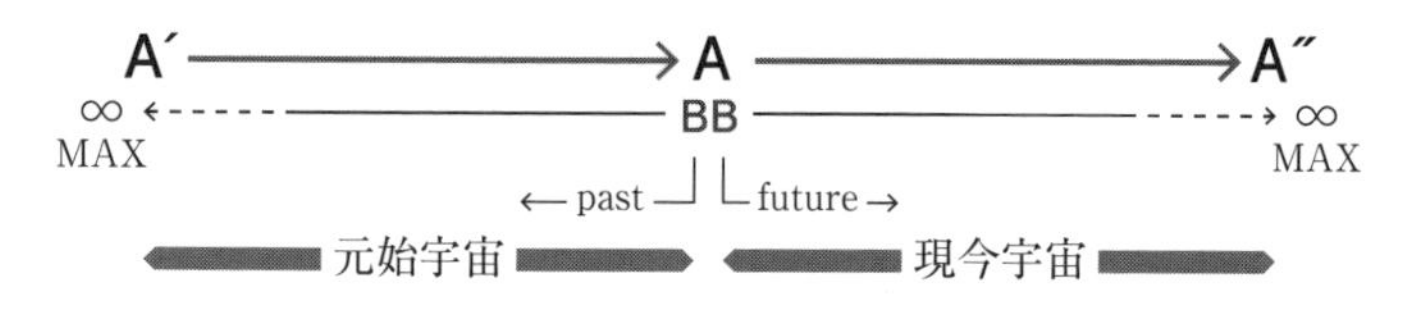


A ：元始宇宙の極限
A´：元始宇宙の始まり
A″：現今宇宙の極限
BB：ビッグバン(zero 時)

A は A´ まで遡る
→A = A´
→A´ は変化せずに A に至る
→A´ は不変物
→A は不変物
→A は変化せずに A″ に至る

⇨ A´＝A＝A″

此の玄理の先例を開くべく、元始宇宙に自力での現今宇宙への変化は有り得ないことが論断出来るのだ。

加えて「見えない力」は、元始宇宙を自然のエネルギー集積とした場合、非自然のエネルギーであり、非自然のエネルギーとは、言い換えれば「有意」のエネルギーとして理解して然るべきものと言えよう。

そして、この有意のエネルギーこそは正に「有意」の「見えない図式」に裏打ちされたものと言い得るのだ。

# 第四章　検証

# 第四章　検　証

これまで潜在能力の存否との視点から探求を試みたが、言うならばこれは多分に人間的思考方式に基づく主観的にして一方的考察とのそしりを免れないかもしれない。

では、元始宇宙は独自の変化から一切、見放された存在なのか否か、より自然に寄り添う形で、即ち、より客観的な視点から検証してみることとしたい。

果たして偶然性の介在する余地を含めて、変化への芽は発見出来るのか。

# 検証　其の一　MAX過去の論理

変化は時間であり、其の時間は過去となる。元始宇宙は、無限の過去からビッグバンの直前までの存在である。此の真理は、元始宇宙はビッグバン直前の時点に於いて、MAX（最大限）の過去を有していたことになる。なぜなら、無限の過去に始まったことによって、これ以上の過去は有り得ないからである。とすれば、MAXの過去を有するものがそれ以上の過去を有することは大いなる矛盾である。

変化と過去とは表裏一体である。よって元始宇宙は、これ以上の変化は有り得ないとの結論に帰着する。従って、元始宇宙自体での変化は不能との判定に至る。

## 検証　其の二

## ＭＡＸ変化の論理

変化と過去とは表裏一体である。

ＭＡＸの過去を有する元始宇宙はビッグバンの直前の時点に於いて、ＭＡＸの変化を有していたことになる。つまり、あらゆる変化をしてしまったものとの解釈が成り立つ。

よって、これ以上の変化は有り得ず、変化は不能と判断出来る。

## 検証　其の三

## ＭＡＸ時間の論理

変化は時間である。元始宇宙はビッグバンの直前の時点に於いて、ＭＡＸの過去すなわちＭＡＸの時間を有していたことになる。

よって、これ以上の時間は有り得ず、変化は不能と判断出来る。

# 第五章　総括

前章の検証を通して、現今宇宙誕生に当たっての偶然性は一切、排除されて然るべきものとなる。

元始宇宙は現今宇宙の直前の時点、すなわち元始宇宙極限の時点に於いて、過去の世界のＭＡＸの時間を不変で通し切ったことになる。

これは元始宇宙が、其の時点に於いて、無限なる過去の始まり当時と完全同一の状態を保有していることを証するに外ならない。

此の始まり当時と完全同一の状態にある元始宇宙が、其の後の未来の世界の無限時間を過去の世界の無限時間と同様、不変で徹し得ることは理の当然であろう。

詰まるところ、元始宇宙は本来、過去そして未来を絶対的に「不変」で通す筈のものであったとの論証に到達するのである。

念のため、此処で此の世の時間の最大値が無限時間で間違いないことを、客観的に明らかにしておく必要があろう。それは過去の無限時間と未来の無限時間との和こそ

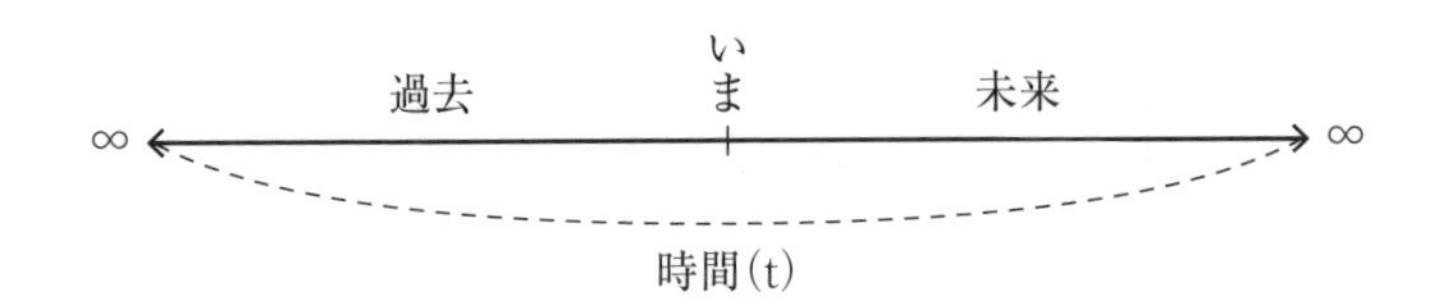


が此の世の時間の最大値ではとの疑念が打ち消しがたいからである。

〝いま〟の時点から左右双方に伸びる無限時間の過去と、無限時間の未来とを考えてみることにする。

此の場合の過去と未来の合計時間ｔは、無限に延び続ける。従ってｔは無限時間以外の何ものでもないことが判明する。

すなわち、無限時間に無限時間を加えても無限を超えることは無いという歴とした証しである。

これをもって、過去という無限時間を不変で通した物は、すなわち「絶対不変物」と速断して違うことはないのである。

# 第六章　神

前章までに於いて、元始宇宙が己れを現今宇宙へと変化させ得る能力を有していない実態が赤裸となった。では、元始宇宙は如何にして現今宇宙へと変化し得たのか、見えない図式と見えない力。其処に見える霊妙なる存在――。私たち人間は奇しくも、其の偉大にして畏敬なる存在の心象を、反射的に想起出来る。そして斯う呼ぶ―神―と。

最後に残る問題がある。

エネルギー粒子の集積は、如何にして存在するに至ったのか、其の出生の経緯を読み解く必要がある。

神は元始宇宙という総体の外(そと)に在る。これは神の『非物性』を顕示するに外ならない。

物の起源を探求するに当たって、新たに浮上した此の非物性を考慮のうえで物の本源を求めるとき、物は非物性から生じたと考えるのが理の当然であろう。絶対不変物である元始宇宙という物が、非物性を生じさせることは不合理だからである。

物の起源を探る〝甲から乙が生じる〟との思考方式上（補注　其の2　一五五頁）、明らかに物は乙であり、確実に非物性が甲の座を占める。

此処に非物性である神こそが、真に創造の本源に値し得ることが確定することになる。

斯くて就くべくして、此の世界の「最大単位」（補注　其の2　一四二頁）の座に就かれることになるのだ。此の世界の主として、名実ともに君臨することになる。

神は、其の権能の一つとして物を産んだ。自身は産まれずして此の世界の大本である。

これを人類の直証としても異論は有るまい。

とすればエネルギー粒子の集積は、正に其の権能の発現として理解出来よう。

現今宇宙がエネルギー粒子の集積から造られたことから見て、それは現今宇宙の創造に当たって用立てられた素材と解釈出来る。

これは直、神の力すなわち神のエネルギーの発現そのものと諒解するのが、ごく自然の成行きであろう。

斯くして全ては一点に帰因することとなる。

とすれば無限――。物には始まりがあり、其の始まりはエネルギー粒子が創出されたとき、即ち神のエネルギーの発現の時となると、此の宇宙には始まりがあって、其の始まりは有限の過去となり、無限は其の場を失う。

これは無限の過去を論拠に神に出会えた論理の存立原理を、根底から覆しかねない。これは大いなる矛盾であるかのように思える。

神と出会えた論理に一分の瑕疵があってはならない。とすれば解釈は、これまで述べてきた論理の延長線上で展開されることが絶対条件である。そして必ずや矛盾は矛盾でなく解決されねばならないのだ。

宇宙の始まりは神によるエネルギーの発現のときとなると、物に代わって神が此の世界の「最大単位」と成ることは先に述べた。とすれば神は最初からの存在にして、無限の過去からの存在となる。然らば此の神によって発現されたエネルギーの起源は如何に解すべきか。

是非を問うまでもなく、此れが正に神の属性そのものである以上、神と一体不可分の物であり、其の起源は無限の過去として捉えて然るべきものである。

なぜなら「最大単位」である神は、他からエネルギーを調達する術は無く、端から自身のエネルギーを具有すると考える以外に理は無いからである。

此のエネルギーの起源こそ物の本源であり、物とは此のエネルギーの『顕現』と知るべきであろう。

此処で此の顕現とは、物の置かれた場の変移によって、これまで人間の五感の対象外だったものが対象となって立ち現れる事象の意味であって、ゆえに物自体の変化は一切伴わないと見るのが理に適う。つまり、神の内と外との違いである。

今は、自在天の為せる業と、合掌して得道するも赦されると思料される。

果たして此処に、物が無限の過去からの存在として展開してきた本論理との整合性が、また其れを論拠として神に出会えた論理に、一分の瑕疵や矛盾の無いことの論証が得られたことになる。

すなわち、これまで述べてきた神と出会えた論理の真理性および客観的確実性が立証されたことになるのだ。

神なくして此の世界は有り得ず、神有っての世界である実相が、いま解き明かされたのだ。

神との遭遇、これは宗教ではない。人間の論理を一から積み上げ築き上げた哲学として、初めて神との遭遇を果たしたのだ。

此処に人間の論理は、其の役割を終える。

人間の論理が、奇しくも宗教の説く世界観と極めて相似値的に終局し得たことは、人間思考の正当性の証左として甘受したい。

# 補注『究極の真理』より

本書のコンメンタールとして二〇一七年六月に刊行した『究極の真理　生か死か　人間とは　宇宙とは』の第三章と第四章に加筆・修正を加え、以下に収録する。

# 其の1　吾と我との一致

（『究極の真理』第三章）

## 第一節　何故に此の肉体が自分であるのか

### 一　問題の提起

大勢の人々が私の眼前に存在しています。其れら数多の人々の種々なる行動といったものが、彼ら自身の意思に基づいて為されているであろうことは言を俟ちません。

私とても私自身の意のもとに行動しているわけですから。

お互いに一個対一個の存在として、其の行動を認め合っているわけです。一個なる人格、其れが多数、あまりにも多数、私の眼前に存在していることになります。私も其の中で一個として存在しているに相違ありません。

がしかし、或る日私は何となく異様なる念を覚えたのです。

〝何故に此の肉体が、此の個体が自分であるのか〟

初め此の問いが何を私に問いかけているのか、私自身にさえはっきりとは分かりませんでした。自分は自分であり他人ではない、と暗黙のうちに思い込んで生きてきた自分にとって、何故に自分が自分であるのかの問いは、あまりにも奇妙なものであったのです。

自分の眼前には、自分と同じような格好をした人間が幾らでもいる。そして、其れらの人々とて自分というものを持って行動しているわけでしょうから、別段自分と異なるところは無い筈なのです。だがしかし、私は私自身のことしか知り得ないのであって、他人の心を垣間見ることなど絶対に不可能なのです。

私は絶対に私以外の人間の内部に立ち入ることは出来ない、言わば私は私自身によって拘束されているようなものです。

私は何故に彼ではないのでしょうか。

彼は何故に私ではないのでしょうか。

私が彼であり、彼が私であっても同じことではないでしょうか。

私は何故に此処にこうして在るのでしょうか。何故に此の肉体が私となったのでしょうか。私はいま、身長何センチ、体重なにがしかの肉体をもつ自分として存在しています。何故に此の肉体を私は自分のものとしたのでしょうか。何故に自分のものと為し得たのでしょうか。否、他の肉体を自分のものとすることは出来なかったのでしょうか。

或るとき、私は此のような疑問を抱いたのです。

## 二　肉体と吾

吾の宿る場とは、人間という肉体の一角にあるわけです。

そして吾とは主体であり、此の主体は其れ以外の一切を客体と為し得る存在であったわけです。

ところでいま、此の吾は肉体の一部である旨を述べましたが、此の点に於いて吾は其の肉体と一体を成しているということであり、延いては吾は肉体に拘束されているとの表現を可能にするものです。

が、吾とは其れだけではありません。吾とは其の肉体の内部に在って、しかも其の肉体を見つめ得る存在なのです。それゆえ、吾とは其れを宿しているところの、換言すれば、其れを拘束しているところの肉体を吾がものとするという逆説的言い方も可能なわけです。

吾のものとされた其れは、即ち我となるわけです。我、其れは対人間関係に於ける一個の存在にして、其れは即ち、自分ということになるわけです。とすれば此処に於いて、何故に此の肉体が自分であるのかの問いに対する解答は、自ら明らかになってきます。即ち、其の肉体に存在する自我意識「吾」であるからして、其れを自分とするのであると。

此れは、自分以外の人間に対して適用することも可能なことと言えましょう。他人に於いても自分と同様、其の肉体の内部に吾が存在し、よって其処に存在する吾は其の肉体をそれぞれ自分とすることになるわけですから。

ところで、いま其の肉体に存在する吾であるから云々と言いましたが、では其の現在其処に在る自我意識吾は、其の肉体に於いて既に斯くあるべしと約束されていたことなのでしょうか。此の肉体には此の吾が、其の肉体には其の吾が、其の肉体の誕生の時点に於いて既に約束事として決定されていたのでしょうか。自分とは、前からの約束の結果としての存在なのでしょうか。

既知なる自明の理として、自我意識は、人生の或る時期に於いて其処に顕現してくる体のものであると言われています。とすれば自我意識の成立以前の肉体とは、言うなれば、自分のものではなかったということになります。では、其れは誰のものであったのでしょうか。其れは、其れを産ましめた両親のものであると解すことも可能であるかもしれませんが、しかし、此れでは話が少し飛躍してしまいます。

では、誰のものでもないところの肉体とは何ものであるのか。敢えて言えば無主体なる存在とでも言うべきものかもしれません。

ところで、此処で其の無主体なる存在は決して一個ではなく、複数を成しているということが一考されて然るべきかと思われます。

自我意識成立以前の存在は、決して単数ではありません。とするならば、これから生まれようとする自我、即ち自分なるものの可能性（ポテンシャル）といったものが、其処には複数として存在しているということになりはしないでしょうか。此処に、いざ此れより誕生せんとする自我意識にとっては、選択の余地が有りそうに思えてきます。此の吾はあの肉体に、其の吾は此の肉体にと。が、果たしてこうした采配が可能なことであるか、ということが問題です。実際、自我成立に際してこのような選択性が介在しているのでしょうか。此処に在る吾は、果たして選択の結果なのでしょうか。吾とは肉体の一部を成すものであったわけです。肉体の一部、つまり無主体なる肉体は、其の自我発生の可能性を、其の肉体の一部として内包しているのです。

そして或る日突然に、其処に可能性が形而下化されることになるわけです。一個の肉体は、其の内部に各一個の自我意識を誕生させることになります。即ち、其の肉体には其の肉体の自我意識が成立せしめられるのであって、其れは人間に於いては必然的事実なのです。必然なるものとして、一個の肉体に一個の自我が成立せしめられるのです。そして此れが人間という存在を形成することになるわけです。

此処に於いて、自我には選択の余地の無い実態が判明してきます。其の拘束せる肉体に於いて、自我は其の肉体の自我として其処に成立せしめられる、それも否応無しに据えられることになるわけです。

其処にそう据えられたことによって、其の吾は其の肉体の一部なのであり、其の内部に其の存在の場を決定することになるわけです。

吾は、必然的に己れを包摂するものを我とすることになるわけです。

此処に於いて斯く定義付けが出来ましょう。〝此の肉体に生まれた吾であるから、此の肉体を自分とするのである〟と。

まことに異様な風向きです。いままで確固たるものと思い込んできた自我が、此処に於いて其の輪郭を滲ませそうな感さえしてしまいます。

自分とは自分であり、絶対に他人ではなく、他人とは完全に隔離断絶された存在であるかのごとくに思い込んできた其の自負にも似た感が、其の基礎を不明確なものへと転じかけようとしているかのように思われてなりません。自分とは自分であって、しかも他人と同一であるかのようにも思われてきます。自分は自分でありながら且つ他人でもあると。

では、斯く色合いを変貌せんとする自分とは、またこれまで此れとは厳然と対立する存在として考慮されてきた他人とは、何処がどう違うのでしょうか。あるいは他人とは幻影に過ぎず、実際には他人など存在し得ないのではないのか。

此れは自分と他人、境界設定の問題です。

### 三　自分と他人

此の肉体に生じた吾であるがゆえに、此れを自分と呼ぶわけです。私という自分は、此処に存在する肉体の内部に発生した吾によって凝視されているゆえ、其の吾の客体として、吾のものとなり、斯くして自分が此処に存在しているという論理になるわけです。

とするならば、此の世には複数なる自分が存在していると解釈してよい道理になります。

複数なる存在であると言う以上、自分という存在は当然一個一個区分けすることが可能な筈です。

実際、言を俟たず、そうすることは可能なのであって、其の区分けは現に物理的に其の個体によって為されているわけです。

一個の個体には必ず一個の自分が存在しているのです。まことに複数なる自分が存在していることになるわけで、其の中の一つとして奇しくも此処に自分という自分が存在しているということになるわけです。

現に、無数ともいえる自分が存在しているわけですが、其れらはそれぞれ自我意識としての存在に変わりはない筈ですから、皆同等であろうことが容易に推測されます。そして事実は、そうした同等の中の一個として、自分が自分として此処に存在しているということなのです。

複数の中の一個としての自分、其の自分として自分が此処に存在しているのです。彼ではなく彼女でもない自分が、此処に存在しているのです。此の肉体に誕生した吾であるから、此処に自分を見出すこととなったわけですが、まことに自分とは奇しくも此処に在るの感がします。自分とは厳然たる約束事ではなくして、正に偶然と言っても過言ではないような状況に於いて発生せしめられたもののように思われます。

一個の個体が誕生し、或る長さの時間を経過した後其処に吾が生じ、そして自分が成立する。

此処に存在する自分は、私以外では絶対に有り得ないのです。此処には自分以外の自分は誕生し得ないのです。何故なら、どの肉体にせよ其処に発生せしめ得るものは正に自分でしかなく、決して他人を其処に誕生させることなど不可能なことだからです。

肉体と自分との関係は、まことに必然的因果関係なるものと形容出来ましょう。がしかし、此の世に複数なる自分が存在しておりながら、此処に自分が在るということ、此処にしか自分がないということに、偶然性そして運命を感ぜずにはいられない気持ちがしてきます。自分とは、此の肉体に生じた吾によって凝視されたことによって、単に此処に存在するだけのことなのです。複数の中のどの自分をとってみても皆、吾によって決定されている限りに於いて、同一条件の下に在ると考えられるわけです。同一条件の下の複数の中の一個としての自分でしかないということです。

此処で次のように概括することも可能でありましょう。〝自分とは、肉体によって分割され、複数となる〃と。多にして一、一にして多である自分、要するに自分というものには、意識上あるいは観念上の境界は無いとも理解出来るのです。意識に境界は無い。即ち、どれも此れも同じ自我意識であるに相違ないのです。

どれも此れも同じ自我意識でありながら、しかし私という自分は此処に存在している此の個体のみであり、一歩たりとて他の個体に入り込むことはおろか、一歩たりとて此処から抜け出ることさえ出来ないのであって、其の意味で、まことに確固たる自我と称するに相応しいものなのです。

今日に至る時間の経過に於いて、既に無数とも言える人間が此の世に存在し、そして去っていったことでありましょう。また未来に於いても多数なる人間が誕生し、其の生を全うする筈です。けれども私という自分は過去には存在してはいなかったし、また未来にも決して存在し得ない、現にいまこうして在る此の存在だけなのです。其れは何故か。何に因るものなのか。

理由は簡潔です。即ち、此の肉体はいま現に斯く在るところの此れでしかないからです。此の肉体は過去には存在してはいなかったし、また未来にも存在することはないのです。それゆえ、此の肉体によって発生せしめられる自分は、いま生きている此の肉体と運命を共にする以外にないのであって、肉体がいま生きているから自分がいま此処に存在するに過ぎないということになります。縦令（たとえ）いま現在の自分と全く同じ構造をした肉体が、過去にあるいは未来の何時の日にか存在したとしても、其処に在る、其処に在った自分は決して今現在の自分ではないということなのです。

自分とは真（しん）に因果的存在としか考えられない宿命的出会いの賜なのです。自分とは、誕生せしめられた結果的存在であるに過ぎず、そして其れは因果的偶然性の意識にしか過ぎないものなのです。

他人とは、彼ら自身とて此の因果的偶然性を意識するところの宿命的出会いの賜に違いないのです。

## 第二節　考えるということ

### 一　思考と凝視力

思考とは何か――。

先ず其の主体、其の営まれている場所は何処なのでしょうか。

思考しているのは誰か、其の主体は誰かと問われたとき、私たちは勿論其れは己れであると答える筈です。では、己れは己れの其の肉体の全てを駆使して考えているのでしょうか。或る意味に於いて斯く言えないこともありません。だがしかし、もう少し焦点を絞ることも不可能ではなさそうです。

私たちは、経験的あるいは直証的事実として、其の場所が頭部であることを承知しています。と同時に、思考をしているとき、我々は其処には常に吾が働いていることも知っています。思考中は、吾は一時たりとて、思考から目を転じることは不可能です。此のことは換言するならば、吾は、思考中は一切の客体を離れるということと同値です。一切の客体から離れたところに、初めて思考は可能となるわけであり、仮に吾が其の思考の過程に於いて何某かの客体を意識したとすれば、其れがどんなに短い時間であったとしても、其の時間、思考は中断される以外ないのです。

客体による思考の中断、此のことは取りも直さず思考に於いて、其の主体を為すものが吾であるということを、如実に物語っているものと解釈出来ます。

思考とは主体的かつ積極的なる営みであると解せましょう。我々は考えるべくして考えるわけであり、考えを纏めるべく懸命に努力するのですから。

思考の前提として、先ず問題を意識することになりますが、此の問題を見つけ出す作用一つを取ってみてもまた、吾自体の能動的な営みに外なりません。

客体を見つめる作用、此れ自体は既に其処に存在するものを表面的に認識するに留まり、其れ以上に追究する作用ではありません。

此れに比べて思考とは、より一歩踏み込んで内面をまで見つめんとする作用であると言い得ましょう。即ち、既知の客体を足場として、其の上に何某かを構築あるいは導き出さんとするわけですから、既存のものをただ其れとして凝視することよりは、遥かに積極的な作業であると言い得るわけです。既存の客体を超越して、其処に何ものかの連関・全体・法則性あるいは本質といったようなものを発見せんとするわけです。

即ち、其れまでの客体に対する認識を棄てて、いままでに見えなかった何かを其処に見つけ出そうと奮闘することになります。

思考の果実は創造されたもの、創出されたものです。

思考とは、何某かの創造を伴うものであり、何某かの創造を指向するところに思考の働く場が設定されるわけです。

そして其の何某かの創造は、思考の産物となって結実するのであって、其の投げ掛けの解答となる筈のものなのです。解、其れは人間の積極的営みに対する報酬とでも言うべきものかもしれません。其れは其の主体たる人間のみに帰着するものであり、何ものかを求めんとする人間の其の本性に対する祝福とも受け取ることの出来る体のものと言えましょう。

では、其の解答は、其の問題を意識した人間にとって如何なる要件を具備していれば足りるのでしょうか。解答とは、何をもって其れを成し得るのでしょうか。

解、それは、其の問いを意識した人間を了解させ得ることをもって十分なのです。人間は其の納得をもって其の問題を克服するわけであり、解決し得たことになるのです。

言うなれば問題とは、人間が得心し得ないところに生ずるものであって、其処には常に納得せんとする人間が存在していることは論を俟ちません。

納得とは、吾自体の納得であり、其れをもって其の人間を充足たらしめるには十分なのです。

思考とは、其処に問いを見出す者にとって、其の者自らに解を与えんとするものであり、其れは其の者への得心をもって終わるところの一連の創造作用なのです。そして此のときに其の主役を演ずるもの、其れは言うまでもなく吾以外の何ものでもないということです。吾は其の見つめる力を、未知なるものへ向けんとすることに於いて、思考の主体と成り得るのです。

此処に於いて、斯く言うことも可能でしょう。〝思考は、脳髄の余裕をもって初めて可能となる〟と。

余裕脳髄、此れこそは創造の場を人類に齎した〝人間発祥の場〟なのです。思考とは正に人間固有のものであり、其れは能動的にして且つ、高貴なる営みなのです。

## 二　自然は無思考である

吾が客体を凝視したとき、思考が中断されること、あるいは思考中に吾は一切の客体を離れることからして、思考の主体が吾であることが明らかとなったわけです。それでは、果たして人間以外の動物は考えることが可能なのでしょうか。動物は果たして創造作用を為しているのでしょうか。

吾とは余裕脳髄であったわけです。動物にあっては、其の脳髄は其の肉体と完全均衡を成していると考えられるわけですから、其処には思考の主体となるべき吾は存在するべくもなく、よって思考は不可能であるという結論に即到達することになります。

動物とは、無主体・無関心性なる存在であると前に述べましたが、此の無関心性なる点に於いて、動物はただ単に表面的かつ平行的に外界と接しているだけなのであり、外界を、ただ其れを其れとして映しているに留まっているものと考えられ、其処には問題など提起される筈もなく、思考はナンセンスの一語に尽きるのです。動物は決して外界と交わってはいないのです。

思考する必要の無い存在、其れは正に其のものが自然であることを立証しているに外なりません。自然なるものが自然の中で生きていくとき、其処には何らの不都合・不合理も有り得ない筈でしょうから。もし仮に其処で何らかの不都合、不合理に出合ったとすれば、其のものは自然として生存し得ないのであって、其れは終いには自然界からの異端を余儀無くされる筈のものなのです。

自然にとって自然は全くの無関心性を示すものです。否、無関心性に於いて共存し得る点で、其れは自然であるということになるのでしょう。だが、此の世界には自然だけではない、此の自然に関わろうとするものが存在しています。其れは勿論人間であり、此の自然に関わろうとする点に於いて、人間は其の超自然性を露呈するのです。人間は自然の中に問いを発見し、其れに積極的に関わろうとして、其の自然を克服し変革へと迫っていくことになります。

## 三　コギト・エルゴ・スムから

「われ思う。ゆえに、われ在り」

此れはデカルトのあまりにも有名な言葉です。全ての存在を疑っていった人間が、絶対に疑えない存在として認めざるを得なかったのが此の言葉であると言われています。では此の言葉の真髄は何処にあるのでしょうか。

前に〝吾とは思考の主体である〟と述べました。吾が客体を凝視したとき、思考が中断することなどからして、そう結論したわけです。実際、吾から離れた思考は存在し得ません。此れは直証的事実です。思考とは、吾に対し決して客体とは成り得ないもの、吾と常に一体となっているもの、と斯く言い得るのです。

仮に、思考が吾を置いて、何処か離れたところで行われる作用だとすれば、其の思考は吾に対して客体と成り得ることになります。がしかし、其の結果は、果たしてどういう事態になるでしょうか。其処では、吾が思考を凝視したときにのみ、思考が成立するということに成らざるを得ません。換言すれば、吾の無いところで思考が進行していることになってしまうのです。

此のことは、吾の知らぬ間に問題が提起され、思考され、結論が出され、そして得心まで為されてしまうという状況を言っているに外ならないのです。即ち、こうした一連の問題の提起、思考、納得といったものが、全くの無関心性の下に為されるということです。果たして此れは可能なことなのでしょうか。問題とは、何に対しての問題なのでしょうか。納得とは、いったい何が納得するのでしょうか。

其の主体が何であるかは、既に自明のことです。思考とは吾自体の営みであって、決して他所のものではないのです。吾と常に一体であって、絶対に吾の客体とは成り得ないものと定義出来るのです。

要するに、思考とは吾に於いて為されるものという結論に達するのです。

此処に至って、初めて〝考えているわれは在る〟即ち、デカルトの言う「考えている自分の存在は否定し得ない」ということが論証され得ることになります。デカルトの言う〝われ〟とは、「吾」とすべきものであって、其れは直証的事実であり、此の吾と思考との一体性・非分離性・共存性・同時性等を指しているものと解釈され得るのです。

思考とは、吾の客体とは成り得ないことに於いて、真に直観なのです。吾との無距離なることに於いて、正に其れなのです。だが其れ以前に、吾、即ち自我意識其れ自体が、真に直観そのものなのです。

# 第三節　吾と我との一致

## 一　生の大肯定理論

先に、吾とは余裕脳髄であると述べました。では、此のことから一体どのような事実が導かれるのでしょうか。

此の脳髄とは、言を俟たず生体の一部であるわけですから、此のことは、吾は生体の一部であるということと同値です。では、其の生体に終焉が訪れたとき、吾は如何なる状態に置かれることになるのでしょうか。其れは必然なることとして、吾の機能の停止をもって現れてくる筈です。生体の一部である吾にとって、其の生体と生死を共にすることは、宿命的事実なのです。

ところで、此の吾の機能の停止とは、どんな事態を招引するものでしょうか。言うまでもなく、其れは見つめる力の喪失であり、主体の壊滅に連なるものです。いままで客体を客体としてきた主体は、其の主体の座を消滅せしむる事態となるのです。

主体無き存在、其れは鼓動を止めた肉体です。鼓動を忘れた肉体は、其の全機能を停止せるのであり、そして全機能の停止は、外界からの一切の情報の入手を不可能ならしめるのです。此のことは即ち、人間の五感の一切の活動の停止を意味することになります。五感の停止に伴って人間は一切、外界との連絡を遮断されることになります。外界の情勢は何一つとして内部へ齎されなくなるのです。

外界との断絶、其処に吾の孤立があるかのように思われます。吾は何一つとして外部からの情報を関知し得なくなるのですから。とするならば、其処に於いて吾の対象と成り得るものは、概括的価値や記憶若しくは思考などということに限定されてきそうですが、しかし、概括的価値や記憶でさえも当然、終極とともに消滅する筈であり、思考なども同様に不可能へと移行する筈です。とすれば、吾は全くの「無」の中に晒される状況になります。吾は「無」の中にあって、孤立することになります。だがしかし、此れについてはこれまで幾度か述べてきたとおり、斯うした事態は、絶対に起こり得ないことと論断し得るのです。

吾と客体とは、終極に於いて其の命運を共にするものであった筈です。客体が消滅したとき吾も消滅しているのであり、吾が滅失したときの客体の消滅は何ら不都合を来すことはないのです。

此処に於いて、死とは斯く形容出来ましょう。〝死とは、無き吾にとって、無き客体が対処することである〟と。

見つめる力の在るところに無き客体が対処するとなれば、其れは直ぐ様、人生の否定に連なるものです。だがしかし、見つめる力の無きところに、無き客体が対処すること、それは必要にして十分であって、決して否定とはならないのです。其れは睡眠であり、永遠なる其れなのです。

吾にとって、客体が有効に対処している生は、そのまま肯定され得ることは勿論です。此れは、生としての積極的なる肯定に外なりません。そしてまた、『死とは、無き吾にとって無き客体が対処すること』に於いて、否定とは成り得ない。即ち、肯定であって、言うなれば消極的肯定とでも言うべきものなのです。そして、此処にこそ、生の大肯定が成立する運びとなるのです。

無き吾にとっての無き客体の対処、此れが死であるとき、人間は其の生の珠玉の時間を、一時たりとて無駄には出来ないのではないでしょうか。

## 二　吾と我との一致

一人間は、吾と我とから成る存在であると前述しました。吾の凝視を受けて、吾のものとしての我が自覚されることになり、そして、凝視することに於いて、吾は其の主体としての地位を確立するに至ったわけです。

では、先に無き吾にとってと言いましたが、吾が無くなるとは一体どうなることなのでしょうか。吾は何処かへ行ってしまうのでしょうか。吾は、果たして終焉とともに其の肉体を離れて、何処へか去って行くのでしょうか。

吾とは、脳髄にして、其の肉体の一部に外ならないものでした。肉体の一部なるものは、肉体の一部であるがゆえに、其の肉体と命運を共にすることは必然的帰結であるわけです。では、此の吾が肉体と運命を共にするとは、何を意味するものなのでしょうか。

其れは、吾の完全なる肉体化であり、吾の肉体との一体化ないし同質化とでも言うべきものです。即ち、吾にとっての機能の停止は、凝視なり思考の不可能性を齎すものであり、其れは取りも直さず、人間の精神的活動の停止を意味するばかりでなく、吾の主体としての地位を喪失させる事態にもなってくるのです。

客体は主体を前提とするわけであり、其の客体として肉体は、吾の、言わば支配下に置かれていたわけです。即ち、吾のものとしての被所有の運命にあったわけですが、命の終局に臨んで、其の主体の消滅は被所有の身からの我の解放を齎すことになります。我は終焉に臨んで、吾からの支配を脱することになるのです。

だがしかし、此の我の吾による拘束よりもより大きな、より絶対的な拘束が此処に現れていることを見逃すことは出来ません。其れは言うまでもなく、吾の我による絶対的拘束です。吾が肉体の一部であることに於いて、吾が其の肉体と命運を共にすることに於いて、其の拘束は絶対的なるものとなって現れてくるのです。

此処で斯くも言い得るでしょう。〝吾は、其の肉体の絶対的拘束下に、其の肉体を拘束する〟と。

吾は、我の物理的絶対的なる拘束の下に、我を精神的所有支配という形での拘束下に置いてきたことになります。此れは、肉体的支配あるいは物理的支配なるものと、精神的支配あるいは観念的支配との関係であり、此の二重の相互支配関係が、取りも直さず人間を形造っていると言って過言ではないと思われます。

我は、吾の存否を決定し得るものである点に於いて、吾の優位に立つ存在です。吾は、我の優位下にありながら、それでいてしかも我を支配し得る立場にあるのです。

吾と我との関係は、斯く言い得るわけですが、それでは、吾と我との区別が無いと考えられる一般動物に於いては、どのように解釈し得るのでしょうか。此のことは、終焉に臨んで吾と我とが一致する我々人間にとっても、決して無関係なことではないのです。

吾と我との区画が無いということは、取りも直さず其処に主体が存在しないことを意味します。其れは、所有、被所有の区別が無いことと同値であって、拘束されるものと、拘束するものとの区別が無いことを意味するものです。即ち、区画が無いということは、一個の一個であることを意味するに外ならないのです。一個の動物は、あくまで一個であり、決して其の内を隔てることの出来ないものなのであって、其れは、常に一体であることに於いて、正に其れなのです。

動物とは、単に創られたところの一つの動的生命機構体に過ぎないと言っても過言ではないように思われます。創られたことに於いて、其れは受動的存在なのであり、そして受動的性向が其の一生に終始付き纏うところに、動物の動物としての本質が窺われるわけです。

受動的性向を一生涯脱し得ないところに、動物は正に動物なのであって、決して非自然とは成り得ないのです。

非自然とは、主体の確立をもって初めて成されるものです。創る主体に対する主体、其の確立です。其れは時として、創造主体に対し、反抗すらも試みるものではありません。だがしかし、自然の創造主体によって創造された、単に一動的生命機構体に過ぎない存在は、其れが其れ自身の内に主体を確立し得ない限りに於いては、其の自然の創造主体を、唯一絶対の主体と成す以外にないのです。此のことから見て、其の存在には、終生其処に内部統一とでも言うべきものが成されているとの解釈が成り立つものと考えられるのです。

其の一個の存在は、其れがそのまま一体として統一されているのであり、其の統一の下に動物は、あくまでも反自然とは成り得ないものとなるのです。

ところで、此の内部統一とは、人間に於ける主体と被主体との統一を意味するものであり、主体と被主体という区分けを解消するものとなります。即ち此のことは、創造主体たる自然を、唯一の主体と成すことに外ならないのです。

人間が其の生の時間に於いて、主体としての地位を所有しない時間があるとすれば、其れは、子供の時間であり、また睡眠の時間でしかありません。其れらの時間、人間は主体の座を脱し、自然の主体の下に其の全てを置かれることとなるのです。自然を主体とすることに於いて、人間は単に一個の動的生命機構体として、安らかにその内部統一を成していることになります。

そしていま、其の人間に於ける生体機能の全面的喪失は、自ら主体の座を退き、創造主体たる自然を再び主体として仰ぐことに外ならないのです。其れは、人間の内部統一であり、吾と我との同等化、同質化であって、取りも直さず、吾と我との一体化であり、其の機能を放棄した一動的生命機構体としての、吾と我との一致なのです。我の優位下に、其の我を拘束下に置いた吾は、いま、我の内部に、我の一片と化して、其の活動を停止することとなるのです。

死、其れは人間の細やかにして偉大なる抵抗の終息なのです。

## 三　吾、此の絶対にして不可侵なるもの、此の孤独なるもの

吾とは見つめる主体でした。見つめることに於いて、客体を客体として認識すると

ころに、絶対に客体とは成り得ないものとして確立せられたものであったわけです。そして此の吾は、一個の肉体につき、必ず一つ誕生せしめられるものでもあるわけです。

前に、一つの吾と他の其れとの断絶は、肉体によって成されているという意味のことを述べました。また、どの肉体に生じた吾であっても、大きな差異は無い筈であるとも。

事実、其れら同等であろうところの吾は、実際厳格に区分けされているのであって、其の区分けは物理的に肉体の有限性によって担保されているわけです。即ち、或る肉体に生まれた吾は、単に其の肉体に於ける其れであり、同じく他の肉体に生まれた吾も、其の肉体に対する其れに過ぎないのであって、其れらは絶対に他の肉体の内に立ち入ることは出来ないのです。吾は、其の肉体の内に終生拘束されるのであり、我が他の肉体と厳格に区分けされていることに於いて、吾は絶対に他の肉体の吾とは成り得ないのであって、此のことは、他の肉体の吾が、吾の肉体である我に立ち入ることの絶対に不可能なることと同値なのです。

一つの吾と他の吾とは、厳格なる断絶の下に共存していることになります。そして此の断絶こそは、吾の絶対的不可侵性、および、孤独性を保障するものとなるのです。吾は、其の生来する性により、常に何某かの価値判断を為しているのであり、其れは絶対に不断なる営みであったわけです。

其の価値判断は、其れを為しているところの吾自体にしか効力を生じないのであって、どんなに近くに居る人間であろうと、其れを自分のものとするわけにはいかないのです。

確かに、他人の喜怒哀楽を其の表情や言動等からして慮ることは可能です。だがしかし、其れはあくまで推測であって、其の人の喜び、悲しみ其れ自体では決して有り得ないのです。此のことは、次のような逆説的表現ともなってきます。即ち、自分がどんなに悲しんでいたとしても、どんなに悩んでいたとしても、其の心を、其の度合を、そのままに受け止めてくれる人は絶対に居ないという悲劇です。其処には常に大きな、あるいは若干の差といったものが付き纏うことになります。此のことは前に述べたことですが、其処に一個の個体と他の個体との絶対的断絶が存在することに因るものであり、吾が他の吾と成り得ないところに起因する、必然的なる結果なのです。

自分の心を、どれだけ他人が理解してくれるか、其れが切実なるものであればあるほどに、其れ相応に焦燥の念を喚起せしむる結果にもなりましょう。がしかし、其の半面、此のことは人間の心への他からの干渉の排斥を可能とするものであって、人間は其の心を意のままに為し得ることにもなるわけです。心の内では大して熱くなっていなくても、然も情熱的に振る舞うことも、実際、可能なのです。逆にどんなに燃え上がっていたとしても、其れを表情や言動に表さない限り、他人はそうとして受け取ることはないのです。

人間の心は、全くの自由の下に置かれていると言い得ます。其の心は、他からの干渉を許さず、全くの自由放任を我がものとしているのです。自由奔放に振る舞う心、其れは肉体という厳格なる断絶によって保障されているのです。が半面、此れが先にも述べたように、心の孤立化をも強いる結果になるということであり、不可侵なるがゆえに、自由なるがゆえに、其れは全くの孤独へと連なっていると言うことが出来るのです。

吾が心は、吾しか知ることはないのであり、吾は其れ自身にのみ責任を負うのであって、他には全くの無責任性を表明するものなのです。そして此の無責任性は、他人に於ける此の吾が心の無理解という形となって、見事に報復を受けることとなるのです。

主体の確立、其れは他人からの確立なるをもって斯く運命を招請するわけであり、吾は、少しでも自分に近づいてくれることを切望しつつ、其の一生に終止符を打つのです。

吾、其れは、絶対にして不可侵なるもの、そして孤独なる存在なのです。

# 其の2　存在の空間的位置と時間的位置

（『究極の真理』第四章）

## 第一節　存在について

### 一　物とは何か

〝物〟とはいったい何でしょうか。確かに種々のものが〝物〟として存在し、且つ我自身とても〝物〟である筈なのですが、しかし、一度斯く問いを発してみると、其の解答にはかなりの注意を払わなければならないことに気付くのです。

では、物とは何か。

物とは、机でありペンであり植物であり、動物であり土であって星でもあります。其の他無数とも言えるものが挙げられ得るわけなのですが、それでは、物とはただ此れらの寄せ集めを指してそう言っているのでしょうか。此れらのものは確かに物であることに違いありません。しかし、単に此れらの総体を物と呼ぶというのでは、物をただ在るがままに観察しているに留まり、物の本質を知る手立てにはならないのではないかという懸念が生じてきます。人間は、此処でさらに一歩を踏み込む必要がありそうに思われます。

物としては、森羅万象悉く種々雑多なものを列挙することが可能ですが、それでは、其れら種々なる物が物であると言われるのは、どんな基準に基づいているのでしょうか。人間にとって、同じ〝物〟としての位置を占める以上、其れらの総体に共通する性質、あるいは総てのものに共通する本性とでも言った方が正しいかもしれませんが、兎に角そうしたものが其処に存在している筈だろうことが考えられます。では、其の根底に在るもの、其れら種々雑多なるものに宿る、其の共通項とは何か。

其の共通項を探る前に、物とは人間に対して如何なる意味合いを有しているのか、其の辺りから探ってみたいと思います。

人間は、物を物と呼ぶ。物を物であるとする——物を物であるとするためには、人間は物を知っていなければなりません。物を知っているとは、物を知覚し得るということと同値です。人間は、知覚することに於いて、物を物としているのです。では、知覚するとは、どういうことなのでしょうか。

人間には五感が在ります。其の五感によって、人間は総てを捉えることになります。此の五感によって捉えられたときに、物は物となるということです。

ところで人間は、五感によって捉えたもの以外のものをも持ち合わせています。其れは即ち〝観念〟です。観念については後で詳述することにしますが、此処では単に〝観念とは、人間が其の人間内部に於いてのみ出合ったものである〟とだけ言及するに留めます。

観念とはあくまで観念であって、決して物では有り得ないことを銘記しておく必要があります。

では、物とは何かと言えば、先に述べたごとく、其れは知覚することによって捉えられるわけですから、此処に於いて物とは、五感によって捉えられ得るものと定義出来ます。

それでは、五感によって捉えるためには、如何なる要件を具備している必要があるのか、此れが問題です。

先ず、触れることが出来るためにはどうでしょうか。人間が触れることが出来るためには、其のものは存在していなければなりますまい。では、視るためにはどうか。人間が視ることが出来るためには、此れもまた存在していなければなりません。以下、聴覚・嗅覚・味覚と、全て其れらは存在によって引き起こされるという点が重要です。即ち、五感の前提として、其処には存在がなければならないという帰結になります。

では、存在とは何でしょうか。何が存在なのでしょうか。存在が存在であるためには、其れは、人間によって、即ち其の五感によって捉えられ得る必要があります。即ち、存在とは物であり、物とは存在であるという事実が判明します。此処に於いて、初めて存在としての物、物としての存在が人間の五感によって捉えられるための要件が、問題となってきます。

では、人間が五感によって捉えることが出来るものとは何でしょうか。人間が現に其の五感によって捉えているもの、其れら無数なるものに共通していることとは何か。此処で、点・線・面等について、少し考えてみることにします。

点とは、位置だけを示すものであって、大きさの無いものであり、線とは、太さは無いが長さが有るものであると定義されています。また、面については、厚さは無いが広さは有るとされています。では、大きさ無くして、如何にして点は其の位置を示し得るのか、如何にして太さの無いものが其の長さを示し得るのか。此のことは、面についても同様に言えることです。

即ち、此れらのものは明らかに観念なのであって、観念上の問題であると言うことが出来るのです。此れらのものは、観念をもってしか見ることの出来ないものなのです。つまり、観念そのものに外ならないのです。

此れら点・線・面は、一次元、二次元に属するものですが、それでは三次元のものはどうでしょうか。

三次元のものと、一次元、二次元のものとの相違は、其のものが容積を持ち得るか否かということに尽きるかと思われます。容積、即ち、体積です。体積を持っている以上、其のものは立体を成していることになります。

其れは、机であり、筆であり、木々であり、鳥であって星でもあります。此処に、此の章の問いを解決する鍵がありそうに思われます。即ち、此処で判明すること、此処で最も重要なポイント、其れは、立体とは物であり、物とは立体を成しているという点です。

此処に於いて、物は五感によって捉え得るということなのです。此処に於いて、物は物として認識されるのです。即ち、立体なるをもって五感の対象と成り得るのであり、立体なるをもって、物としての要件は充足せられることとなるのです。

此処に、物とは立体であるという原理が成立するわけですが、後に述べる空間あるいは無空間なるものとの連関に於いて、此処では一応〝物とは、満たされた空間である〟と言っておくことにします。

満たされた空間をもって物とすることに於いても、机も星も原子さえも、其の物としての地位を奪われることはないでしょうから。

## 二　空間とは何か

〝物とは満たされた空間である〟と言ったとき、此の満たされた空間なるものに対するものとしては、どのような事象が考えられるでしょうか。

先ず〝満たされた〟という点に着目するならば、〝満たされていない空間〟というものが考えられて然るべきかと思われます。〝満たされていない空間〟とは即ち、空間と言われるものに外なりません。

では、此処で此の空間について一考を試みることにします。空間とは何か、と言ったとき、其の解は明白なることのように思われます。だがしかし、実際そうでしょうか。空間とは、単に〝スペース〟なのでしょうか。

空間と言ったとき、其れは物と物との間であると解釈して間違いないように思われます。では、此のことを少し詳しく考察してみることにします。

物と物との其れであるからして、空間其のものは物ではないということになります。否、物であってはならないのです。

此れが重要です。物とは、人間の五感によって捉えることが可能であるもの、という定義であったわけです。がしかし、いま此処で空間とは物ではないという理屈になったのですから、此のことは、空間とは五感では捉えることが不可能なものであるということに外なりません。

が果たしてそうでしょうか。現に我々は空間を知っているように思っています。空間を現に見ているように感じています。そう信じて疑わないのです。では、空間とは物であるのでしょうか。仮に空間が物であるとするならば、物と物との其れとしての空間は、存在の場を追われる羽目になってしまいます。とすれば、やはり空間は空間にして、物ではないとしなければなりません。

では、我々が現に見つめ、現に指さしている空間とは、いったい何なのでしょうか。其れは即ち、物であると言うことが可能なのです。と言うと、何か矛盾があるように感じられると思いますが、そうではありません。物であるとは言っても、空間が物であるということではないのです。我々は、物と物とを見つめて、其の間をただ観念的に捉え、其れを指して空間と言っているだけのことなのです。人間は物と物とを見つめたとき、其処に空間を見ているように感じるのですが、しかし其れはあくまで人間の頭の中に於ける創造作用に過ぎないものなのです。

人間は物と物から、其処に何某かのものを観念的に形成し、其れを空間と称しているのです。

空間とは詰まるところ観念であり、決して五感的には見ることも触れることも出来ないものなのです。我々は物を見て、其の二次的、副次的なるものとして、其処に空間を意識することになるのです。空間とは、意識に過ぎず、人間の脳髄の内にのみ存在するものであって、決して物と同等なる立場に於ける存在ではないのです。ただ人間が勝手に其の観念を物と物との間に組み込んで、其の物と同格視しているに過ぎないのです。物と同格視するがゆえに、空間があたかも五感によって捉えられたものであるかのごとくに錯覚するのです。

空間とは、言わば、人間観念の物的地位への投影とでも言うべきものです。其れは、あくまで影であって、決して本体ではないのです。

では、此の影なる空間について、いま少し幾何学的思索の目を向けてみることにしましょう。

物とは満たされた空間であったわけです。此のことは、物とは立体であるということとさして変わりは無いように思われます。がしかし、此れら二つの間には、実際、大きな相違があるのです。ただ単に立体であるというならば、それでは空間も物ではないか、ということになってしまうからなのです。物とは確かに立体です。それゆえ、物と物とによって其の存在の場を与えられている空間も、当然のこととして立体を成してくることになります。何故なら、言うまでもなく、立体と立体とを思考に於いて直線的あるいは平面的に繋いだとき、其処に生じる其の空間とは、必然的に立体と成らざるを得ないからです。

仮に、立体は物である、とでも定義するならば、空間も其の結果、物としての地位を授かることとなってしまいます。が、此のことが矛盾を呈することは前に述べたとおりです。即ち、物と物との其れが、其れ自体物であるとするならば、空間は其の存在の場を失う羽目になってしまうのは言わずもがなです。

空間は物であってはならないのです。此のことは、空間の根本原理であると言って過言ではありますまい。それゆえ、物とは満たされた空間であると言う以外に適当な表現方法は見当たらないのです。そして此処に於いて、空間とは満たされていない空間である、という帰結になるわけです。

では、此のことは前に少し触れたところではありますが、いま述べたことに関連して今一度検討を加えてみたいと思います。其れは、物と物とを結んだとき、其処には立体が出現するということでしたが、此の物と物とを結ぶ際に少々問題になってくることがあるということです。即ち其れは、物と物とを結ぶという行為は、直線的あるいは平面的に為されるべき思考作用であって、決して曲線あるいは曲面であってはならないということです。何故なら、曲線あるいは曲面をもって物と物とを結ぶならば、其れはあまりにも観念的、故意的なものとなってしまうからです。物と物とを結ぶということ自体、既に観念作用であるのに、その上にさらに観念的要素を塗り重ねることはあまりにも不自然であり、延いては空間の無秩序を引き起こす事態にも成り兼ねないのです。空間とは、真に直感的に結ばれて然るべきものなのです。

では、此処でまた話を元に戻すことにします。物と物とを結んだとき、其処に考えられるものは立体であったわけです。がしかし、此の立体は決して物であってはならないのであって、其の実体は観念であったわけです。

それゆえに其の空間は満たされてはいないということになるのであって、満たされていない立体であるからして、空間はあくまで空間であって物ではないという結論になるわけです。しかし此処に於いて、斯く言うことも無謀ではありますまい。空間も満たされている、と。しかし、ただ其の満たしているものが、一次的ではない、二次的存在としての観念であるという点を、忘れない限りに於いて。

結局、空間とは観念であると断定して間違いはないのです。

## 三　無空間なるもの

物が満たされた空間であると言ったとき、此れに対する概念として、満たされていない空間が考えられたわけですが、此処にあと一つ、満たされた空間に対するものとして、無空間なるものが考えられて然るべきかと思われます。

物も、そして空間も、共に空間を有しています。此れら二つに対するものとしても、此の無空間なるものが考えられ得るわけです。

では、無空間なるものとは、五感によって捉えることが果たして可能なのでしょうか。仮に可能であるとするならば、言うまでもなく此のものも物としての立ち位置を与えられて然るべき筈です。

では、如何にすれば無空間なるものを想定することが出来るのでしょうか。そして其れが果たして物であるか否か、どのようにすれば判定を下すことが可能なのでしょうか。

人間の周囲には、現に空間が存在しています。では、此の中に無空間なるものが存在しているのでしょうか。いま、無空間なるものとしての適例が見当たらないとすれば、人間は其れを想定する以外にないのであり、此れが先に想定すると述べた理由です。

だがしかし、単に想定するとは言っても、此の問題はそう簡単には行きそうにありません。其れは何故か。即ち、初めから無空間なるものを想定し、其れを人間の前に置くならば、其れは恰も客体のごとくに成り済まし、其の存否を考える以前から実際に存在するかのような錯覚に、見るものをして陥らせてしまう危険性を孕んでいるからです。実際に存在するか否かが問題となっているいま、無空間なるものを想定し、其れを客体として、人間の前に据えることが果たして適当であるかどうかの疑問が生じてきます。斯うすることは果たして正当な方法でしょうか。

そこで以下のように考えてみることにします。無空間を想定すること自体が、其れを客体としてしまう危険性に於いて抵抗があるならば、それでは無空間を主体と同一の場で考えてみてはどうか、ということです。

主体と同一の場とは、即ち、主体を、其れすらも客体の場へスライドさせてみることに外なりません。即ち、斯うすることによって、主体と客体との隔たりを取り去り、対等の場に於いての観察が可能になるものと考えられるからなのです。

此のことは客体を客体ではなくするということであって、主体と客体との関係性を排斥させ得るとの論理であり、延いては、公正なる判断を導き出せるものと確信したのです。

此れは、人間それ自体をも客体の中で捉えるということです。人間すらも客体と同一の場に据えて、そして其処に在る人間に対する客体、即ち無空間なるものが果たしてどのような意味合いを有するものであるかを検証してみるわけです。

では、其の客体となった人間にとって、無空間なるものは果たしてどんな位置を占め得るものであるのか。其れは結局、人間を其の無空間の中に立たせる結果になるわけなのですが、兎に角其の無空間なるものを、我々自身も客体となって体験してみることにいたしましょう。

先ず、此処で五感を中心に据える必要があります。即ち、五感を持った人間を中心に定立させるのです。そして次に、其の人間から少し隔たりを取って、其処に二つの物体、即ち、満たされた空間なるものを、お互いに接することなく置くことにします。実際問題としては、我々の周囲には沢山の、それこそ無数とも言い得る物が存在しているわけなのですが、此処では此れらを単に複数として解釈し、同じ複数であってしかも其の最も単純な模式であるところの、二つの物を設定することにします。

此処でいままで述べてきた内容を図式的に、それも最も簡単な図式に纏めるならば、次のように言い表せましょう。即ち、中央に五感を備えた人間が居り、其の一方の側に、人間から少し距離を取って二つの物が互いに接することなく位置しているといった構図です。

では、早速、此の図式に於いて、無空間なるものを体験することにします。

二つの物はどちらも満たされた空間ですから、此処に二つの空間が存在することになります。そして、此れら二つの物と、人間との三つを繋ぐことによって、もう一つ空間が現れることになり、此れら三つの空間が前に述べた図式に現れるところの、全ての空間であることになります。人間それ自体も空間に違いありませんが、此処では単に見つめる力として、一応一点として考えておくことにします。

では、此処に現れた此れらの空間から、無空間なるものを導き出してみましょう。

言うまでもなく、無空間とは空間の無いことを言うのですから、無空間なるものを導出するためには、此れら空間の全てを、此の図式から取り除けばよい理屈になります。

先ず二つの物のうち、一方を除去してみることにします。此処に於いて、残りは、一つの物と、其の物と人間との間に成立するところの空間との二つだけという構図になります。

では続いて、残った一方の物も除去することにします。此処に於いて、空間は全て無くなったことになります。斯くして無空間なるものが此処に現出された筈です。

では、其処に現れたものは何か。其処に残ったものは果たして何なのでしょうか。図式上は人間だけが残された形になります。此れは空間ではありますが、先に一点として考慮しておいたわけですし、また此れは、見つめる主体であるからして、此れを除去することは不可能です。もし仮に此れを排除してしまうならば、無空間が再び人間にとって客体の場で云々されることになってしまい、問題が振り出しに戻ってしまうからです。

此の人間は、無空間なるものを体験せんとする、重要なる存在なのです。が、斯う言っているうちにも無空間は既に出現してしまっているのです。それも此の重要なる存在としての人間の前に。

即ち、二つの物のうち、後まで残っていた一方の物を除去したとき、人間は無空間の真直中に位置するシチュエーションとなったわけなのです。無空間なるものが既に人間の上に起こっているのです。

では、其の無空間なるものとは何であるのか。其れは、果たして五感の対象と成り得るものなのでしょうか。

端的に言って、其れは人間自身である、ということになります。人間自身が無空間を現出させているという恰好になります。此れはどういうことかと言うと、其れは、無空間となった其の時に於いて、空間が人間に吸い寄せられ、人間から一歩たりとて其の隔たりを持ち得なくなった状況を示しているのです。即ち、物を凝視することによって、人間の表面から其の物まで伸び広がっていったと考えられるところの空間が、其の物の消滅とともに、人間そのものの上に、否、其の人間の肌そのものまで引き縮められ、人間の肌そのものとなって同化してしまったことを意味するに外なりません。即ち、無空間とは、人間から一切距離を成すものが無いことと同値なのです。

従って其れは、人間其れ自体、人間其のものに外ならないという結果になります。そして人間はいま、其れにも拘らず、無空間なるものの真直中に位置しているということなのです。

では、人間は其の人間自身の上に、いま起こっている其の無空間なるものを、果たして知覚し得るものでしょうか、し得ないのでしょうか。

現に人間が其処に知覚し得るもの、其れは、其の人間自身の其れでしかない筈です。人間は、其処に己れ自身しか知覚し得ない筈なのです。己れは人間です。人間は人間であって無空間ではありません。とすれば、其の人間から其の人間自身に起因するところの知覚を全て取り去ったとき、其処には零の解しか出てこないことになります。即ち、其の人間の上に現に無空間なる事態が進行しているにも拘らず、人間は人間自身しか知覚し得ないということになるわけです。つまり、人間は無空間なるものを知覚することは出来ない、という結論に達するのです。

無空間なるものは物ではないのです。其れは空間と同じく、真に観念でしかないものなのです。

斯くして、物とは満たされた空間であるとの前提から出発して、いま此処に、其の物に対立する概念としての空間および無空間なるものが、物ではないという結論に達したことによって、〝物とは満たされた空間である〟ということが確定され得たことになるわけです。

## 四　観念

物とは満たされた空間であることが究明されました。ところで、其の物が物であるための根拠は、其のものが五感によって捉えられたもの、言い換えれば、五感を喚起せしめ得るものという点にあったわけです。それでは、此の世界には物だけしかないのでしょうか。総ては物なのでしょうか。

斯く考えてみたとき、我々は素早く、物ではないものの存在に気付く筈です。即ち、其れらは其れを想像上で出合うことは出来ても、其れを人間の外には発見し得ないといった類のものです。では、其の人間の外には無いが内には在るものとは、何なのでしょうか。

此処で留意せねばならないこと、其れは、五感は外に向かうという本性です。総ての知覚は吾に集中されています。

知覚は総て吾に向かうのであって、決して吾から外へ向かうものではないのです。吾とは凝視力であったわけです。そして此の凝視する力が外部へ積極的に指向していることによって、初めて知覚が吾に集中される結果になると考えられるわけです。

換言すれば、吾によって五感的に捉えられたものは総て、吾の外に在ると言い得ることになります。

此の、吾の外に在って、吾に何らかの知覚を齎すもの、其れが物であるわけです。即ち、物とは、吾が其の外に於いて出合ったものと言い得るのです。

では、吾の内に在るもの、内に在って外に無いものとは何なのでしょうか。吾が外に於いて出合ったものが物であるならば、此れは吾が内に於いて出合ったものであると、斯くも言える筈です。人間が其の内に於いて出合ったもの、其れは、人間が外から取り入れたものではないということです。

先に、其れらのものは、其れを想像上で思い描けると言いましたが、此の作用は、即ち思考作用に外なりません。其れらは、思考に於いてのみ人間が出合い得るものなのであって、決して人間の外には発見することが出来ない類のものなのです。要するに、其れらは人間の創造物なのです。人間の思考に於ける、精神的創造物なのです。

此れが観念というものです。観念、其れは人間の内にのみ存在し得るものであって、決して人間の外には存在し得ないものなのです。

ただし、観念も時として外的存在へと変化する可能性を有しています。即ち、先に理論的に求められたものが其の後に於いて五感的に確認された、というような場合です。此のような場合、観念は観念ではなくなって五感の対象へと移行するのであり、其のとき其れは人間の外なる存在として発見されるのです。

ところで、此処で大切なことが一つ銘記されねばなりません。其れは、観念が人間の創造物であることに於いて、其の〝二次的存在性〟が明らかになってくるという点です。観念の二次的存在性、其れは観念の後人間存在性と同値です。観念とは、後人間なる存在であって、其れは後人間存在なることに於いて、後物質なる存在なのです。即ち、物質、そして人間、それから観念という順序になるわけであり、此れが此の世界の〝派生秩序〟として考えられ得ることになります。

では、此の論点について、いま少し次の項で論考してみることにします。

## 五　独自存在と付随存在

人間とは、物と観念とから成る世界に住めるものと断言出来ましょう。

では、此の二つのものについて、其の存在の性格をもう少し明らかにしてみたいと思います。

〝物〟とは、人間の外に存在するものであったわけですが、人間其れ自体も物から成っているのですから、人間もそのまま物であると言って差し支えない筈です。とすれば、物は人間と同格ということになります。人間と同格の地位に在って、人間と対峙していることになります。此のことは、物は其れ自体で独自に存在しているということを意味しています。其れ独自に於ける存在、此れをいま〝独自存在〟と呼ぶことにします。

では、次に観念について。

観念とは、人間の思考作用によって創造されたものであり、其れは人間の外には存在し得ないものであったわけです。人間の内にのみ、其の存在の場を確保し得るものであったわけです。

此処で分かること、其れは、観念にあっては、其処に人間が在って初めて其の存在を確認され得るという直証です。其れは決して人間と離反せる状態に於いて存在し得るものではないのであって、此のことは、観念の人間に対する非同格性を示唆することに外なりません。即ち観念とは、人間に対し常に追随の関係にあるということです。決して物のように人間と対等の場に立つことは不可能なものなのです。此の観念を指していま〝付随存在〟と呼んでおくことにします。

では、独自存在と付随存在とは、どちらがより本源的なる意味に於ける存在であるのかと言えば、其れは言うまでもなく、独自存在としての物であるとして疑いを入れません。即ち、付随存在なる観念は、人間によって創造されたものであって、其のことは換言するに、物による創造物であるとも言い得るからです。観念とは、後物質なるものであって、決して物と同格なる存在では有り得ないのです。人間に対する付随性、其れはそのまま物に対する其れとなるのです。そして此処に於いて、物は独自存在として、付随存在たる観念よりも一歩を前に踏み出す形となるのです。

それでは、物は観念より一線を画すことに於いて、存在の最前線に立つものであると言い得るのでしょうか。

物が観念より一歩前に出られるのは、観念が後人間なる存在であるからであり、そして且つ、物は人間と同格であることに於いてです。

　では、人間と対等なる存在であるところの物と、其の人間との間には、前後の関係は生じないものでしょうか。

　此れは前にも触れたところではありますが、人間は確かに物理的なる存在であり、此の意味合いに於いて、当然、人間は後物質であるということになります。此のことは即ち、人間以前に物が存在しない限り、人間は其の存在の場を発見し得ないということです。此処に於いて、物は人間との、物としての対等関係を破棄して、人間より一歩を前に踏み出す形になります。即ち、物・人間そして観念の配列が此処に確立するのです。

　そして此処に至って初めて、物が此の世界の最前線に君臨するものであるか否かの問いが発せられるステージになります。

　人間が物と観念との世界に住んでいることに於いて、且つ、物が観念に先立つ存在であることに於いて、物が此の世界の最前線に君臨するものであろうことは当然のごとくに思われます。だがしかし、人間にはまだ問題が残っています。此の物より前なる存在といったものが在りはしないかとの強迫観念です。此のことはやがて、存在と無との問題となって浮上してくることになりますが、此れについては後に譲ることにして、此処では、物と人間とは共に物であるという点に於いて同格なのであり、此の同格なることに於いて物は独自存在であるということ、そしてまた、此の独自存在であることに於いて、物が観念と一線を画するものであるという点が、重要ポイントとして記憶されねばならないのです。

## 第二節　大宇宙空間に於ける有限と無限との相剋

――観念領域の拡大――

### 一　有限と無限

此処はいったい何処なのでしょうか。此処とは、いったいどれほどの正確性を保証する言葉なのでしょうか。此処は此処であって、彼処ではないわけですが、しかし、此れが此の場合の解とはなっていないことは、確かなようです。

此処は何処か、と言ったとき、我々は此処なるところが含まれているであろうところの、其のものの際限からして此れに応えようとします。事実、そうする以外に適切なる方法は無いようなのですが。

それでは、此の適切なる方法をもって、果たして此の場合の問いに答え得るものでしょうか。此の宇宙の際限から、此処なるところを言い当てることが、果たして出来るのでしょうか。

もし仮に、其れが可能であるとするならば、其の前提として、此の宇宙には際限があらねばならないという理屈になります。即ち、此の宇宙には際限が在る、ということになります。では果たして、此の宇宙に際限は存在するのでしょうか。無いのでしょうか。仮に際限が存在するとすれば、其れは何処にどういう形で存在するのでしょうか。もし際限が無いとするならば、其れはどんな根拠に基づくものなのでしょうか。

我々は日頃、宇宙空間という言葉を口にします。我々が捉えている宇宙とは、空間的広がりとしての其れであるということです。

では、空間とは何であったかと言えば、物と物との其れであったわけです。物と物との間に存在すると思われるところのものであったわけです。そして且つ、其のものとは、人間の五感では知覚することの出来ないもの、即ち、空間とは、観念そのものであったわけです。其の観念の働く場として、物が其処に存在しているということです。

此処に於いて、空間の物への付随性が明らかになってきます。つまり、空間を決定するものは物であるということになります。空間的広がりを確定するものは、実に物の配置そのものに外ならないということなのです。此処に於いて、宇宙空間の問題は、其処に存在する物の問題へと置き換えられることになってきます。

それでは、此の宇宙に於いて、宇宙という空間的存在に於いて、其の空間を空間成らしめている物とは、いったいどういう性格のものなのでしょうか。其の物は、どのような配置のもとに在るのでしょうか。其の物的配置には、限りが有るのでしょうか。果たして、此の世界の物には、其の数に限りが有るのでしょうか。あるいは、此の世界を構成している物は無限なのでしょうか。仮にそうだとするならば、此の宇宙空間は無限の広がりを持っていると言い得ることになります。何故なら、限り無い数の物が存在し得るためには、限り無いスペースが必要とならざるを得ないからです。

此処に於いて、無限なる空間の問題は、無限なる数の問題となってきます。

物は、或る一定の空間を成しています。つまり、満たされた空間としての、或る有限のものと言うことが出来るのです。そして此の有限なることに於いて、初めて、物が人間の前に数量という単位をもって捉えられることになるわけです。

それでは、此の宇宙空間の構成要素であるところの物の数とは、果たして有限であるのか、無限であるのか。

では、仮に無限としたときの場合について考えてみることにします。

一という数は、其れが有限なることを示しています。二とは、有限なる一が二つ在ることを意味します。此の場合、其のものの大小とか質とかは問題ではありません。兎に角、有限なるものが二つ在るということなのです。ところで、此の二という数は、言うまでもなく複数です。複数ということは、有限なるものが二つ以上存在することを意味します。では、此の複数とは、果たして無限の数へと移行する性格を有するものなのでしょうか。換言するならば、複数の中に無限数も含まれるのか否かということです。果たして、無限数とは複数の一種なのでしょうか。否、無限数とは、果たして数なのでしょうか。

言を俟たず、数には単数と複数とがあります。数とは、或るものが数えられ始めた其の瞬間だけが単数であって、次の瞬間には、早、複数と化してしまう性格のものです。単数とは、一の数、其れのみに与えられた特称であって、其の他の一切のものは、複数という名で取り扱われているわけです。一でないものは総て複数となるのです。

では、此の宇宙を、此の存在を見たとき、物は単数でしょうか、複数でしょうか。言うまでもなく複数です。しかし、其れは単に一つでない、二つ以上在る、ということに於いての其れでしかありません。其の複数なる数が幾つであるかは分かってはいない、だがしかし、一ではないから複数なのです。

一ではないから複数である、此のことは、さして重要な意味を孕んでいるとは思えません。がしかし、果たしてそうでしょうか。

複数とは、一でないことに於いて複数であるわけです。一でないとは、即ち、一の何倍かであるという意味です。一の二倍以上が複数ということになります。では、いま仮に宇宙を構成する物の数は複数であると言った場合、此のことは、此の宇宙を構成する物の数は、一に幾つかの数を掛けたものであると言ったことに外なりません。其の数とは、一でない或る特定の数でなければならないことは言うまでもないことです。

斯くして、此処でさらに一つ、問題が出てくることになります。即ち、数其れ自体は、果たして有限であるか、無限であるかということです。

数とは、無限に考えることが可能です。がしかし、二という数は、二つという有限なる個数を表しています。一億という数も、一億という有限な個数を表しています。つまり、どんな数であっても其れが数である限り、其れは有限を表すことになります。此れが重要です。其れが数である限り、其れは常に有限を意味しているのであり、数とは絶対に無限を意味することは出来ないということです。

数が数として成り立つためには、其の数の対象となるものは、正確に言うならば、数の対象と成り得たものは、如何なる場合に於いても悉く有限なるものでなければならないということになります。言い換えるならば、無限なるものは絶対に数の対象とは成り得ないということなのです。数とは、有限を表示するだけのものであって、決して無限を表すことは出来ないのです。

では、宇宙の構成要素たる物を複数であると仮定したとき、其れはいったいどのような意味合いを持つことになるのでしょうか。

複数であるからして其の数は、一に或る数（其の数は一以外の正の整数であることを必要とする）を掛けたものであるということに外なりません。つまり此のことは、す。

宇宙の構成物は数の対象と成り得る、即ち、有限個数であるということと同値なので

宇宙の構成物が複数であるということは、詰まるところ、宇宙空間なる広がりに際限が在るということに外ならないのです。

では実際、宇宙の構成物は有限なのでしょうか。単に複数であると言ったゆえ、有限という帰結になってしまったのかも知れません。

ところで、此処でさらにもう一つ、考えておかねばならないことが有ります。其れはつまり、無限とは何であるか、ということです。無限とは、其れが数え切れないことに於いて無限なのであるとすれば、最早、此れは最初から数の問題を逸脱してしまっていることになります。つまり、無限数とは複数ではないということなのです。一ではないことに於いて、其のものは複数となる筈のものではありません。だがしかし、此れ其のものが真に複数と成るためには、其れは有限でなければならないのであり、此れが数の前提条件ともなっているわけです。が、いざ無限ということになれば、其れは

最早複数として処理することは不可能となってしまうことになるのです。

複数と無限数とは全く異質なものであって、決して複数の延長として無限が在るわけではないということです。複数の其の数が、如何に大きくなろうと、其れは其れで有限を表しているに留まるわけですから、此処に複数と無限数との間には厳格なる断絶の存在が判明してきます。無限数は、単数でなく、そして複数でもなく、完全に数の問題を超越してしまっていることになります。

では、此の無限数の数への超越は、いったい何によって齎されているのでしょうか。数の問題でもないものを、如何にも其れらしく見せて、人間は何故に此れを護持しているのでしょうか。

物とは満たされた空間にして、有限です。そして此の有限なることに於いて、数の対象と成り得たわけです。が、其れにも拘らず、其の数の対象と成るであろう筈のものをして、数の対象外へと追いやったのは一体何だったのでしょうか。

其処には、明らかに人間の作為が介在したことを認めざるを得ないようです。人間の作為、其れは何であったのか、何を意味するものだったのでしょうか。

一つ一つ悉に対象を数えていった人間が、何故に無限に出合わねばならなかったのでしょうか。否、一つ一つ悉に数えていくことに於いて、無限に出合うことは果たして可能なことでしょうか。否、決して可能ではありますまい。一つ一つ悉に数えていくところに、無限数などというものに出合う余地は絶対に有り得ません。其の数が如何に莫大なものに成るにせよ、数えても数えても、さらに尽きないとしても、其れは、あくまでも数えることへの可能性が残っていることに外ならず、況してや無限が其処から齎される筈のものではないのです。数えんとするものにとって、無限とは絶対に出合い得るものではないのです。だがしかし、此の絶対に出合うことの出来ないものを現実に人間が持ち合わせているとすれば、此れこそは正真正銘の観念としか言いようがありません。

無限数とは、観念数とでも言うべきものかも知れません。其れは、数えることを棄てた人間の、口実ともとれる独断に過ぎないものと言えるかもしれません。数えることに疲れた人間の、早く結論を得たいとする焦りでしかなかったのではないのか。そして其れは、其の焦りに強いられて下したところの独断に過ぎないのではありますまいか。

仮に無限なるものが存在するとすれば、其れは人間の真理探究への努力の極まり無い発展の可能性を約束するものに外なりません。人間は、無限に前進することが可能なわけです。だが半面、此のことは人間の其の真理探究への志を嘲笑するものとなる危険性を孕んでいる、ということも否めない事実であるかもしれません。だがしかし、無限を先取りすることが不可能なことである以上、前進を続けることが最善の方法であるに相違ありません。実際、そうする以外に途は無いのです。

いずれにせよ、其れが有限であるならば、人間は何時の日か其れを我がものと成し得る筈であり、仮に其れが無限なるものであったとしても、人間は其の中途をもって中途とし、其の可能性を明日へと託すこととなる筈です。

ところで、此の数の問題は、元はと言えば空間の問題であったわけです。構成物が有限個数であるか無限であるかの問題は、同時に空間の其れとなるものだからです。

　此処に於いて、此の宇宙の構成物の数を無限であるとするならば、此の宇宙空間は無限なる広がりを持つということになります。だがしかし、先に述べた複数の問題と同様に、其の人間のものとして現実に確認され得る空間とは、結局、有限でしかないことになります。どんなに拡大しようと、其の拡大は、其の時々の広がりを示すに過ぎず、其れは取りも直さず、有限空間を開示するに過ぎないのであり、其の拡大への可能性は、常に存在することになるわけです。つまり、其の拡大への可能性は無限大として残るわけですが、常に其の現実の成果というものは、有限に留まるということなのです。即ち、有限と無限との相剋です。

　此のことはまた、宇宙を有限であるとしたときにも、人間の前に立ち現れてくる問題の一つです。即ち、観念領域拡大の其れです。

## 二　観念領域の拡大

〝宇宙は有限である〟と言い得たとしたならば、問題は其処で全てクリアされたことになるのでしょうか。宇宙は有限だとしても、それでは其の先には何が在るのか、宇宙の果ての向こうには何が起こっているのかと考えたくなります。いま、宇宙は有限であると仮定した以上、当然宇宙は其の果てまでしかない筈なのですが、人間とは常に其の先を問題にしたがるもののようです。

宇宙の限界の先には物が存在しないのですから、最早、空間という観念は其処には成立し得ない筈なのですが、人間の心はそれに飽き足らず、物を超えて更なる空間を想定したがるもののようです。つまり、自分で何ものかを、即ち、或る目標物を観念上に於いて設定し、其処までの広がり、即ち空間を想定せずにはいられないのです。最早、心の暴走です。

普通、空間と言った場合、物をして空間の基点とするわけですが、此処では観念を基点としての空間を考えているわけで、現実の空間との間に根本的な相違があります。

つまり其れは、観念による観念の設定とでも言うべきものであって、観念上の観念とでも言うべき体のものなのです。そして、此れこそは、宇宙を有限としたときに其の先へ先へと立ち現れてくるテーゼに外ならないのです。そして此処に、観念的なる意味合いに於いて宇宙は拡大することとなるのであり、其れは取りも直さず人間が宇宙を拡大することになるのです。

ところで、これまで述べてきたことは、観念に於ける宇宙空間の拡大であったわけですが、では此処で、より実際的且つ現実的な例に沿って考えてみたいと思います。

例えばロケットです。無限に進むことの出来るエネルギーを有したロケットを想定してみることにします。そしていま、ロケットを或る一定の方向へ直進するように打ち上げたとします。此の場合、此のロケットは或る距離を進んで、終いには宇宙の果てに到達することになります。すると此処で一つの問題が浮上します。

此のロケットは宇宙の果てで止まる以外にないのではないか、否か、ということです。

其れより先は空間が無いのですから、当然ロケットは其処までしか進み得ないかのように思われるわけですが、しかし、実際にはロケットは其の果てを突破し、尚も直進を続けることとなる筈です。では、此のことは如何にして解釈すべきなのでしょうか。ロケットは空間の無いところを、如何にして進み得るのでしょうか。

結局、此の解は次のように解釈出来る筈です。つまり、ロケットは自ら空間を創り、其の中を飛行すると。此れはどういうことかと言えば、要するに、ロケットが宇宙の果てを突破した其の瞬間、いままで宇宙空間の中を進んできた其れは、いま突破したところの宇宙から新たに創られた空間の中を進んでいるということです。

いま少し正確に言うならば、ロケットの最先端と宇宙とを結ぶことによって成立する空間、其の空間の中に其れは存在しているということになります。要するに、ロケットは自ら空間を創造し、其の空間の中を進んでいくとするのが適当と思われます。ロケットとするならば、ロケットは宇宙の果てで足留めされることなく、限り無く前進し続けることが可能となるわけです。

だがしかし、此の場合、ロケットの創る空間と、ロケット自体との存在上の前後関係が一考される必要が有りそうです。つまり、ロケットの先端が宇宙の果てを突破した其の直後に、空間が出来るのであるのかどうか。換言すれば、ロケットは空間から一時、食み出すという形になるのか否か、という問題です。仮に、ロケットの先端が宇宙の果てを突破した後に空間が成立するのであるとすれば、ロケットは一時とは言え、空間無きところを進むことになってしまいます。では、此のことは如何に解釈したらよいのでしょうか。

空間とは物と物とから成るところの観念であることから、先ず物が在って、其の後に空間が成立すると考えてしまうため、必然其処に何某かの前後関係が成立するものと思い込んでしまうわけですが、しかし、此の前後関係とは、時間的な意味合いに於いての其れではないということです。つまり、此の場合の前後関係とは、思考過程に於けるところの其れに外ならないのであって、単に思考上の順序および秩序関係に於ける其れに過ぎないということです。従って、物と空間との関係は、同時成立の関係にあると言って何ら差し支えないことになります。ロケットは自ら創り出す空間を飛行するのです。

此処に至ってロケットは、其の進路を確保され得たことになります。

斯くして、問題は其の全てを解決され得たかのように思われます。が果たしてそうでしょうか。否、我々は未だ此処に重要な問題が一つ残されていることに、気付かねばならないのです。

と言うのは、果たして此のロケットなるものは、空間が其処に在るから進み得るのかどうか、其の空間が自らによって創られたものであるにせよ、あるいは既存のものにせよ、空間が其処に在るから進み得るのだとする考え方が、果たして妥当なものであるのかどうかという点です。何故なら、いま此処で問題となっている空間とは、即ち観念に外ならないからなのです。つまり、此の考え方からすると、ロケットは観念の中を飛行する羽目になってしまうのです。

ロケットという物が、人間の観念というものの中を、果たして飛行することが可能なのでしょうか。問題は、そう考えることが果たして妥当な思考方法であるか否かということなのです。

　では、此の問題は如何に解決したらよいのでしょうか。結局、此の疑問も次のように考えることによってクリアし得るものと思われます。つまり、ロケットは空間が在るから進行し得るのではなくして、其処に何も無いからこそ進み得るのである、と。

　此処に、宇宙は人間によって、無限に拡大する可能性を付加されたとも言い得ましょう。がしかし、此の拡大の効果は、其の都度有限であることに違いはないのです。拡大への可能性は無限大でも、其の拡大された広がりを問題とするとき、其れは恒に限界の域を出るものではないのです。つまり、此れが宇宙空間開拓史に於ける有限と無限との相剋なのです。

# 第三節　存在の起源

## 一　時間について《〝いま〟は時間ではない》

時間とは、何でしょうか。我々は同じ一定の時間であるにも拘らず、其れを長いとか短いとか感じています。

こうした感覚の奥には、いったいどんな計測が働いているのでしょうか。我々が最も身近に感じている筈の時間、此の時間とは、何なのでしょうか。

先ず、此処では一定の時間、即ち、同一の時間というものが問題になってきます。がしかし、此のことについては後で詳しく触れることにして、此処では単に時計で計られたところの一定の時間と言っておくことにします。

人間は其れにも拘らず、現実此れを長いとも短いとも言っているわけです。しかし、此処に言う長短とは、あくまで人間がそう感じているに過ぎず、此の場合の長短は、実際、人間の感覚でしかないのです。だがしかし、長い短いと感じる以上、人間が時間というものを意識する存在であることは確かです。では、此の長くも感じ、短くも感じ得る時間とは、何なのでしょうか。

人間、睡眠中に於いて時間を意識することはありません。人間は目覚めているとき初めて、時間を問題としているようです。では、目覚めているとは、どういう状態なのでしょうか。

目覚めている状態にあるとき、其処には当然なることとして吾が存在しています。吾が存在する以上、其処には凝視力が働いていると解釈出来ます。事実、此の吾の稼働こそは、人間が覚醒していることの証左となるものなのです。そして実際、凝視力こそが、此の問題を解くに当たって、最も重要なる位置を占めていることを認めないわけにはいかないのです。

我々は目を瞑っているときに於いても時間を意識することは可能です。とするならば、其のとき此の凝視力は、何に向けられているのでしょうか。音でしょうか、手触りでしょうか、あるいは匂い、味……。

否、其れを考える前に先ず、吾が何かを凝視しているときに時間を感じるものかどうかの検証が試みられなければならないでしょう。果たして本当に、吾が何ものかを凝視しているときに、時間は感じ取られるものなのでしょうか。

また、思考している吾はどうでしょうか。我々は思考に専心しているとき、果たして時間を感じ得るものでしょうか。否、此のことが、経験的あるいは直証的に言って不可能なことは容易に理解し得ることです。

では続いて、五感を研ぎ澄ましている吾について検証してみることにします。美しい景色に見とれているとき、楽しい音楽に聴き入っているとき……、我々は果たして時間を感じ得るでしょうか。否、そのような場合、我々が時間を意識するということは決して有り得ません。

つまり、人間が五感的に何ものかに心を集中しているときには、時間は感じ得ないものと言い得るのです。では、いったい吾は何を凝視しているのでしょうか。何を凝視するときに時間を意識するものなのでしょうか。

其れは、端的に言って、記憶であると言い得ましょう。ただし此処で、記憶とは言っても其れは自己存在の記憶であることに注目しなければなりません。其の凝視する力で、真に其れが宿るところの自己の記憶的存在を見つめるのです。即ち、美しい景色に見とれていた己れを、素敵な音楽に聴き入っていた記憶的な己れを、そしてまた思惟に耽っていた自己を、あるいは目を閉じながらジッとしていた己れを、記憶的に見つめるのです。

此れら一連の自己存在の記憶を経過として意識するところに、時間の起源があると思われます。

即ち、脳髄に刻み込まれた自己存在の記憶を人間が回顧するとき、其処に人間は何らかの意識を伴うことになるのです。つまり、此の刻み込まれ、そして蓄積され得たところの自己存在の記憶から齎される意識が、人間をして此れを経過として捉えせしむることになるのです。また此のことは、単に連続的に蓄積される必要は無いのであって、断片的なる蓄積ではあっても、其れが或る一定の量を成すことに於いて、其処にも経過の感情が表れてくる筈のものであることは論を俟ちません。

要するに、記憶上の自己存在を現在の自己が回顧することに於いて、つまり再確認することに於いて、人間は其処に経過の概念を抱くことになるのです。そして此の経過の概念こそが、正に時間そのものに外ならないのです。

では、私たちが或る一定の時間を長いとか短いとか感じているのはどう理解すべきなのでしょうか。思うに此れは、記憶上の自己存在意識の蓄積量の多少に関わっていると言って過言ではないでしょう。

我々が何ものかに心を奪われ、それこそわれを忘れて何ものかに熱中していた時間に於いては、此の自己存在意識の蓄積は少なくなるからして、後に其の記憶上の自己存在を振り返ったとき、其の時間は短く感じられる結果となるのであり、何ものにも集中することなく、従って自己存在に多く関わっていたときには、同一なる理由によって、長く感じられることになるものと考えられるのです。

斯くして人間は、同一時間にも拘らず、其れを長くも短くも感じることになります。

では次に、長いとも、短いとも感じるところの同一時間とは何であるのか考えてみることにします。

同一時間と言うとき、直ぐ様我々は時計を思い浮かべます。長い方の針が一回りすれば一時間であり、此の長さは恒に一定である、と。此れが同一時間と言われるものです。即ち、同一時間とは、時計という正確なる計測器によって計られることにより、初めて可能となるのです。何も其れは時計に限定される必要はなく、他により正確に一定の時間を示し得るものが在れば、其れでもいいわけなのですが、しかし、時計が人間によって此の同一時間を計測するべく造られていることからしても、時計が人間にとって同一時間を実現する最も適当なるものであろうことは、容易に察せられ得ることです。

人間が此の正確に同一時間を示す道具を造った裡には、当然其の必要性が認識されたわけでしょうし、必要性が喚起された理由とは、真に自らの時間的不正確性を自覚したことによると言っても過言ではないと思われます。

では、時計とは何でしょうか。我々は何故に此の時計をもって一定の時間を知り得るものと確信しているのでしょうか。何故をもって、同一時間というものをそのまま素直に認めているのでしょうか。

其れは取りも直さず、其の時計の持つ、一、、、、、、定不変の変化率に対する信頼によるものと言い得ましょう。一定不変の変化を示すものであるとの確信に於いて、人間は時計を信頼しているわけです。

人間をして其の時間的曖昧さを自覚せしめたもの、そして且つ、正確なる時計の必要性を教唆せしめたもの、其れは自然の、其のうちでも一定と覚ゆる変化を繰り返すものであった筈です。其のものとは、多くの場合、天体の運行でもあったのでありましょう。そして事実、或る日、其れは影の移動となって人間に捉えられることとなったのです。

此処に於いて時計とは、斯く定義することが可能と思われます。〝人間の経過概念を、一定の変化率をもって運動するものに投影せしめたもの〟、其れが時計であると。

此処に我々は、時間が空間に置き換えられている点に気付かねばなりません。見つめる力として一定不変である吾の前に、一定の変化率を示すものが時計として捉えられることになったわけです。そして此処に於いて、時間は変化と結び付くことになります。一定の変化によって、人間は正確なる一定の時間的長さを捉え得ることになったのです。

見つめる存在の前に、変化は時間と成ったのであり、変化と時間とは、此処に一致を見ることになります。つまり、変化とは時間であり、時間とは変化であるということになります。

では次に、此の変化の本質とでも言うべきものについて考えてみることにします。

変化が変化として捉えられるために、絶対不可欠な要素が一つあります。

其れは即ち、記憶です。正確に言うならば記憶力ということになります。

では何故に記憶力なるものが必要不可欠なものであるのかと言えば、即ち、変化とは、或るものに於ける或る状態と、他の状態との比較に於いて成立するものであるからです。此処に言う或る状態とは、即ち前の状態であり、他の状態とは、其の後の状態を指しているのであって、此処でははっきりと前後の関係が問題となって現れているのです。後の状態なるものを現在とするならば、其の前の状態とは明らかに過去を意味します。過去とは間違いなく記憶です。斯くて、此処に此の記憶というものを介して、変化が変化として人間にとって立ち現れてくることとなるわけです。

ところで、変化が変化として人間に立ち現れてくる過程に於いては、ただ単に記憶だけではなくて、前後の比較が為される必要があるということも判明してまいります。此の比較作用とは、明らかに脳髄の専任事項なのです。

此れら記憶そして比較と、共に脳髄内の営みによって、変化が変化として現れてくることから見て、時間とは、正に明確なる意味合いに於いて、観念の形式に当てはまることになります。

時間とは観念なのであって、そして其の本質とは、外ならぬ記憶そのものなのです。記憶無くして変化無く、自己存在の経過的意識の蓄積も無く、従って時間の概念も生じ得ないという成り行きになってきます。時間とは記憶を基礎とし、其処に何某かの観念作用が付加されたときに構築されるところの概念なのです。

では最後に、〝今〟という時について解剖してみることにします。何故此処で此のことを改めて考えてみようとするのか、其れは、私たちは日頃〝いま〟という言葉を何気無く、ほとんど無意識的とも言える感覚で使っているのが実状ですが、しかし、一旦立ち止まって改めて考えてみると、一つの疑問に突き当たらざるを得ないのです。〝いま〟は其の限りに於いては、時間の中の一形態であるかのように思われます。否、現実には時間の単位とさえ思いこそすれ、決して疑ったりはしません。では此の〝いま〟を繋ぐことによって、果たして其処に時間が現れてくるのでしょうか。

〝いま〟とは果たして時間の単位なのでしょうか。仮にそうであるとするならば、〝いま〟を繋ぐことによって当然其処には時間が現れてくることになります。

〝いま〟というものを、時という言葉をもって表現しましたが、此れは意識してそうしたことなのです。何故なら、〝いま〟と〝時間〟とは厳密に区別されて然るべき旨を認識したからに外ならないのです。では其れは何か。

人間が此の世界を時間的に判別する際、此の世界は三つに分けることが可能です。即ち、過去、現在そして未来です。過去とは、既に無きものであり、未来とは、未だ来ていないものであって、此れも在りはしないものです。在るのはただ現在のみです。

では、此の現在とは、長さを有するものなのでしょうか。此れが問題です。

もし仮に現在というものに長さ、即ち幅が有るとするならば、現在には始まりが有れば、終わりも有ることを意味します。ということは、始まりは終わりに対して紛れも無く過去を意味し、終わりは始まりに対して間違いなく未来を意味することからして、此れでは現在の中に過去と未来とが混在するという事態になってしまいます。厳密に現在を現在として抽出するためには、あくまで、過去は過去の範疇に、未来は未来の其れに納めることが必要となってきます。

では、此のようにして取り出された現在とは、どういう内容のものとなるのでしょうか。果たして現在には、幅が有ると言い得るのでしょうか。言を俟つまでもなく、其れは幅を有しないものと成らざるを得ないのです。では、幅の無い現在とは、如何に解釈し得るものなのでしょうか。

此処に於いて明らかになること、其れは、現在を幾ら連ねても長さ、即ち時間とは成り得ないということです。此の現在こそは、〝いま〟其のものに外ならないのです。此れがいままで〝いま〟を時として、時間とは区別して使ってきた理由です。即ち、此処に於いて、此の時なるものを幾ら加え合わせても時間とは成らないという奇異な事実が明らかになってくるのです。では、此のことは如何に解釈したらよいのでしょうか。

此処で我々は、時と時間とは明らかに異質のものであるということに気付かねばなりません。では、此の違いは何に由来しているのでしょうか。何によって、時と時間とは其の質を異にしなければならないのでしょうか。

時間とは、其れが記憶に基づいていることに於いて、常に其処には前後関係が存在しているわけであり、それゆえ其処には必然として、或る幅が与えられることになります。此処に時間が長さとして捉えられる要素があるわけです。

それでは、〝いま〟はどうでしょうか。〝いま〟とは、果たして時間と同様、記憶に基づくものなのでしょうか。否、絶対に其のようなことは有り得ません。記憶ではないからこそ〝いま〟は〝いま〟なのです。

それでは〝いま〟とは何か。〝いま〟其れは正しく直観の形式なのです。直観であるからして、此れを過去とするわけにはいきません。同じく、未来とすることも不可能です。直観とは、あくまでも〝いま〟に於いてのみ成立するに留まるものです。それゆえ、直観を繋ぐという行為は絶対に不可能なことなのです。それゆえ、直観に幅を持たせることは出来ないのです。

一方は記憶に由来するものであり、他方は直観であることによって、此の両者は、互いに相容れない関係にあるのです。即ち、〝いま〟という時は時間の単位とは成り得ないのであって、且つ其のことは、其れが時間ではないという〝驚異の真理〟を証明するに外ならないのです。〝いま〟とは、時間を超越したところに現出されるものであると言い得るかもしれません。

〝いま〟、其れは時間の流れの中に在って、時として暗闇に弾ける線香花火の閃光のようなものなのです。

## 二　無から有が生じるか

〝無から有が生じるか〟との問いを発したとき、無は明らかに有の対立概念として捉えられています。では〝無〟とは、何処でどのように捉えたらよいのでしょうか。

無と言ったとき、我々は無とは何も無いことである、と考えています。では、何一つ無いとはどういうことなのでしょうか。其れは端的に言って、人間が其の人間をも含めて、捉え得る一切のものが存在しない状態を指すということになりそうです。

ところで、いま状態という言葉を使いましたが、果たして、無とは何らかの状態を持ち得るものなのでしょうか。何も無い状態というものが果たして存在し得るのでしょうか。

いま仮に或る容器を考え、此の中を全くの真空にしたとしましょう。勿論、光すらも無いものとします。此の場合、此の容器の中は確かに何も無い状態になっているものと考えられます。では此のことからして、直ぐ様此れが〝無〟を表象するものであると言い得るでしょうか。此れが無というものなのでしょうか。

此の場合、一つ疑問が涌いてきます。其れは、此の場合の無というものは、明らかに空間を表象してしまっているからです。即ち、此の場合の無とは、明らかに物によって支えられている状態にあるということです。仮に此れを無と言うならば、或る一定の容器という物が在って初めて、人間は無たる状態に出合い得るということになり、此のことは結局、存在を前提にしているに外なりません。

果たして無とは、存在の一形態として、其の範疇に含まれるものなのでしょうか。此れによって人間は、真の無に出合い得たことになるのでしょうか。いま一応、此の無を〝存在としての無〟と言っておくことにします。

それでは、此の存在としての無を真の無とするためには、どうすればよいのでしょうか。其れには何と言っても先ず、此の容器を取り除くことが先決となってきます。〝存在としての無〟は、確かに或る空間を示していました。ならば其れ自体に於いて、空間は存在するものなのでしょうか。無とは、何らかの広がりを示し得るのでしょうか。

空間とは、物と物とから創られるものであった筈です。物と物とが人間によって結び付けられたところに生じる観念、其れが空間であったわけです。とするならば、無に空間が伴うということは、矛盾を呈することになりはしないでしょうか。即ち、無とは人間其れ自体をも含めて、人間が捉え得る総てのものが無いということなのですから、無とは物が一切存在していないことを意味するに外なりません。それゆえに、此の無に空間が伴うということは明らかに矛盾なのです。

それでは無とは何であるのでしょうか。無とはあくまで、一切の物が存在しない前提の下に設定されるわけですから、自明の理として、無とは物であってはならないのです。

では、物ではないところの無とは何ものなのでしょうか。物ではないのですから、其れは即ち、観念以外にはあり得ません。

斯くして無とは、自らして観念に過ぎないことを告白することになるのです。

では、此の場合の観念とは、果たして何を意味するものなのでしょうか。

物が存在しない、それゆえ、空間すらも存在しないというのが無であるわけですから、此のことは明らかに、前に空間のところで述べた無空間なるものを意味していることに外なりません。よって無とは、正に無空間なるものに帰着するのであり、此処に観念の形式であることの証明が為されたことになります。

それでは此の無から、果たして有が生じ得るのでしょうか。無は存在の母体なのでしょうか。換言するならば、即ち、観念から物が生じ得るのか否か、ということです。此れは果たして可能なことでしょうか。

前に一考したところの、此の世界の派生秩序からして、先ず観念より前に人間が存在していなければなりません。そしてさらに、其の人間より以前に物が存在していなければならないのです。とするならば、物より前に観念が存在するなどということは、大いなる矛盾でしかないのです。観念から物が生じるなどということは、絶対に不可能だ、としか言いようがありません。

『無から有は、決して生じ得ない』と論断出来るのです。

## 三 物は最大単位である

有に対する概念として一応、無が考えられたわけですが、しかし、此の無たるや決して有と対立し得るものではなくて、其の有の産物でしかないという結論に達したわけです。無とは、単に有に対して案出されたところの実体無き対立概念でしかなかったのです。では此のことは、何を意味するのでしょうか。

私たちは此の存在の起源を考えるとき、此の存在は何時生まれたのか、という形体に於いて其の解を求めようとします。即ち我々は、此の存在が何ものかから生じたものとしての前提に立脚して、此の問題を考えようとしていることになります。此の存在が有であり、此の存在を生じさせたものが無であるとの謂われ無き前提を押しいただいて。だがしかし、いま、此の無とは前有なるものではなくして、後有なるものであることが判明するに及んで、無から有が生じることはナンセンスとの判定が下されたわけです。では此の論は、いったい何を言わんとしているのでしょうか。

結局此れは、前有なるものは存在し得ないことを教示するものであって、其れは且つ、此の存在が何ものからか生じたものとするこれまでの人間の因果的思考形式に、一大変革を迫らんとするものに外ならないのです。此の存在以前に、何ものかを考えてはならないことを言明しているのです。此の存在は、他の何ものよりも前の存在であるということです。此の世界の何よりも以前から君臨し、そして他のもの、即ち其れは観念の一語に尽きるのですが、兎に角其れを生んだことになります。

地球は地球であり、太陽は太陽であって、そして木は木です。此れらのもの、即ち、観念を除いた他の一切のものは総て、悉く物です。此のことは、此れらのものが全て物の一形態に過ぎないことを表明しています。生命よりも前に地球が在り、地球よりも前に何某かの素粒子なるものが飛び交っていたわけでしょうが、しかし、此れらの前後関係は、存在あるいは有という概念の前には、何らの問題も包含してはいないのです。

それでは、観念なるものを発生せしめたところの其の存在とは、何ものなのでしょうか。前なるものが何一つ存在しないところの存在とは、如何に解釈すべきなのでしょうか。

結局、存在は何ものからも生じなかったとしか言いようがありません。何ものからも生じないで、しかも現に存在していることになります。存在とは、無母体無原因であることが究明されたことになります。

では此のことは如何に解すべきなのでしょうか。詰まるところ此の存在とは、此の物とは、此の世界の『最大単位』であることを論証するに外ならないものと解釈出来ます。他のものを生じさせることはあっても、其れ自身は決して何ものからも生じることのないもの、即ち最大単位なのです。

何ものからか生じたとすれば、其れは最早、最大単位では有り得ません。此の意味に於いて、存在即ち物は実に此の世界の最大単位なのです。

これまで、此の最大単位を無に於いて求めてきたであろう人間は、此処に於いて、一大変革を迫られるに至ったのです。

## 四　存在の起源《宇宙は無始である》

物とは此の世界の最大単位であることが判明しました。では此のことから、どのような世界観が導かれ得るのでしょうか。

先ず、或るものの存在起源を考えようとする際、二通りの接近方法（アプローチ）が考えられます。第一は、其のものの起源を時間的に何時何分であったとする方法であり、第二には、現在を基準として、いまから何時間何分前であったとする方法です。

此れら二つの捉え方は一見大した違いは無いようにも思われるのですが、しかし、或る場合に於いて、此れらのうちの一方の方法では、其の起源を正当に言い当てることは不可能なのではないかとの懸念を抱かざるを得ないのです。

其の方法とは、第一の方法です。それは何故か。即ち、第一の方法を採る場合には、少なくとも其のものの誕生より以前から時間が其処に存在していることが前提条件となっているからです。此の場合、時間とは、誕生せんとする其のものよりも前から存在しているところの何ものかを意味することになりますが、此れは其のものの誕生が、時間的経過の中の最先端に位置するものではないことを独白しているに外なりません。そこで、仮に其のものの誕生が時間的経過の中の最先端にあったとした場合には、第一の方法では、其の起源を正当に言い当てることが不可能になるのではないか、ということが懸念されてくることになるのです。即ち此の方法は、其のものの誕生が、其のものよりも前から存在する何ものかからの其れを暗黙のうちに考慮してしまっているからなのです。或るものの誕生が、其れよりも以前から在るものによって成されるということは衆知の論です。此のことは誕生という言葉が生来持っているところの、前提とでも言うべきものだからです。それゆえ、此の第一の方法は、其のものが何ものからか誕生するものであるならば有効となるわけでしょうが、何ものからも誕生することのなかったものに於いては、此の方法が果たして適当であると言い切れるのか否かという問題です。

此の場合、仮に第一の方法で言うならば、其のものの誕生は零時零分であったという以外にありません。零時零分と言えば、何か時間があるようにも思われますが、実際此れは何らの意味も有しない、言わば空言とでも言うべきものです。其れは何故かと言いますと、即ち此の場合、零時零分とは、其のものが時間的に最初から存在していたと言っているに外ならず、此の存在は初めから在ったと言ったところで、其の初めとは、何時なのかとの問いには、一向に無解答だからなのです。

此処に第二の方法が浮上してきます。第二の方法とは、現在から過去へ、即ち其のものの起源へ遡及する方法です。遡ることによって、其のものが現在までにどれほどの時間を経過しているかを探ろうとする常道的方法です。

では、此の存在は、今日現在までにどれほどの時間を経過しているのでしょうか。

此の存在は、果たして何処まで遡及することが出来るのでしょうか。此の存在の起源を尋ねてみることにいたしましょう。

此の世界の最大単位は物であったわけです。従って、此の物の起源を求めることによって、此の世界の、即ち、此の存在の起源が求められて然るべきとの理屈になります。

では此の問いを考えるに当たり、此の物が最大単位であるという点に着目してみることにします。物が最大単位であるということは、取りも直さず、前物質なるものが存在しないというメッセージであったわけです。とするならば、次のことが明らかになります。其れは、此の物を幾ら遡らせてみたとしても、他のものには成らない、他のものには変化しないという帰結になる、ということです。どんなに遡っても物は物であって、前物質、即ち、非物質とは成り得ないということです。どんなに遡及しても物以外には出合うことがないという論理なのです。此れは如何に解釈し得るか、即ち此の論理展開は、此の物の起源を求めるに当たって、其の起源に辿り着くことの絶対的不可能性を意味するに外ならないのです。

我々人間が其の起源を、無限の過去に発見するであろうことを教誨するものなのです。即ち、此の存在に、始まりの時の無かったことを言明しているに外ならないのです。

もし仮に或るものに始まりがあったとするならば、其のものの前に何ものか――其のものが観念であってはならないことは言うまでもありませんが――兎に角、何ものかを想定することが可能であるということであり、また此のことは、其のものが最大単位では有り得ないことを教示するものと受け取ることが出来ます。だがしかし、最大単位とは、真に其のものが何ものからも誕生しない点に於いて、其の資格を誇示するものなのであって、此の何ものからも生じないことに於いてこそ、正に其のものには誕生のときが無いと解し得るのです。誕生のときが無いことに於いて、其のものには始まりが無いのです。

# 第四節　完全

## 一　永遠の立証《宇宙は無終である》

物が最大単位であるとの論拠から出発して、此の存在は無始であるとの結論に到達したわけですが、それでは、此の物が最大単位であるということは、未来に関しては如何なる予言を提示するものなのでしょうか。此の世界には、果たして終わりが有るのでしょうか。あるいは終極などというものは、有り得ないのでしょうか。

此の物なるものは最大単位なることに於いて、未来に関しても過去に遡及すると同様、幾ら経過しても、前物質なるものには到達し得ないことを表明するに外なりません。此のことは即ち、此の物が何処までも物としては存在し続けるであろうことを意味するものなのであって、此れは取りも直さず、此の存在が無限なる未来にまで到達するであろうことを教誨するものと解せるのです。つまり、此の存在は永遠なのです。永遠なることに於いて、即ち、無終なのです。

## 二　そのものとしての存在《宇宙は無始無終である》

前項までに於いて、此の存在が無始無終であることが解明されました。此処に於いて存在は其の全容を捉えられたかのように思われます。が果たしてそうであるか。無始無終とは、明らかに時間という観念を導入して、言わば、時間という眼鏡を通して此の存在を見た一つの帰結に過ぎません。

それゆえ、此れは観念的考察としての存在の一帰結に過ぎないとの見方も出来るわけです。では、観念的でない考察とは何でしょうか。

我々人間にとって何が一番確実なる存在であると言い得るのでしょうか。我々はどれを採って存在の考察の対象と成すべきでしょうか。其れは果たして過去の其れでしょうか。あるいは未来の其れでしょうか。否、其の何方でもありますまい。我々にとって一番確実なる存在にして且つ、存在を考えるに当たり、其の対象として最も適当なる其れとは、〃いま〃在る、〃いま〃現に眼前に展開しているところの其れではないでしょうか。

事実、昨日の太陽は最早存在しません。明日の太陽も、勿論在る筈のものではないのです。昨日の太陽は単に人間の記憶に過ぎないのであり、明日の太陽とて、此れまた人間の期待でしかないのです。人間が存在を考える際、此れら過去も未来も忘れて、〝いま〟現に眼前に展開している此の存在に注目することが、先ず顧みられて然るべきかと思われます。では〝いま〟現に在る存在とは如何なるものなのでしょうか。

我々は太陽が常に変化し続けていることを知っています。其れは一時として止まることはありません。が、此処で一考を要すること、其れは、其の変化を変化としているのは誰であったかという点です。昨日の太陽と今日の其れとは明らかに違っている筈です。否、一時間前の其れと〝いま〟の其れとでさえ、顕著に相違を読み取ることが出来得る筈のものです。

此の変化とは、前に時間の項で述べたごとく、或るものの状態に関する前後関係に於いて現れてくるものであって、此の前なる状態と、其の後なる状態との比較に於いて変化が変化として捉えられるのです。そして此の前なる状態の本質とは何かと言ったとき、其れは〝いま〟の状態に対して明らかに過去の其れであって、明らかに記憶を意味するものであったわけです。記憶であるからして其れは人間の其れであり、よって、変化を変化としている張本人は、人間であるという結末になってくるわけです。それでは実際、太陽は、其の存在は、果たして変化しているのでしょうか。では此処に於いて、人間の記憶を一切離れて、此の存在を眺めてみることにします。

昨日の太陽は最早存在しません。在るのは〝いま〟の太陽だけなのです。それでは、昨日の太陽が何処にも残ってはいないのに、今日の〝いま〟の太陽を、変化した其れであると言い得るのでしょうか。現在のみしかなく、過去の無いものを、其の過去と比較することが果たして可能でしょうか。無いものと比較するなどということは絶対に不可能です。比較不可能ということは、取りも直さず、其処に変化を認めることは出来ないということに外なりません。

変化が無い、此れは如何に解すべきでしょうか。此のことは此の問題が、明らかに時間の其れを逸脱していることを示すものであって、取りも直さず、此れが直観の形式に於ける問題であることを示唆するものなのです。

　時間には長さがあります。しかし、直観である〝いま〟という時には長さはありません。長さの無い時に於いて、物が変化するなどということは絶対に許容出来ることではないのです。つまり、前に述べた最も確実なる存在（此れこそは真の存在であり、存在そのものである）とは、此の直観の形式に於いて捉えられた其れに外ならないのです。換言すれば、直観によって捉えられた以外の存在とは、正に観念上の其れなのであって、決して存在そのものの姿では有り得ないということです。存在には変化は無いのであって、其の時々に於ける状態が其の全てなのです。

〝いま〟という直観に幅はありません。幅の無いことに於いて、直観とは無始無終なのです。そして存在は、此の無始無終なる時に於いて現に存在しているのですから、詰まるところ、『存在は無始無終にして現に存在である』という見解に至るのです。

　此れが、存在の直観の形式に於ける考察の結論です。

　斯くして、〝存在の時間的そして直観的考察は、其の一致を見るに至った〟のです。

時間とは、人間の脳髄の中を流れているに過ぎず、決して宇宙を包摂する形に於いて流れてはいないのです。

## 三　完全の論理

〝甲なるものから乙なるものが生じる〟との思考形式に於いて物と観念とを考えたとき、明らかに甲とは成り得ないものとして観念が浮上してきます。観念とは後人間であり、其れは即ち後物質であるからに外ならないのですが、此処に於いて、次の事実が判明してきます。つまり、乙を物とした場合、甲は同じく物であるということです。此の世界に物と観念しか無い以上、物は明らかに物から生じる以外にないのです。

　それでは、物が物から生じるとは、どういう意味なのでしょうか。此の論は、物は非物質なるものから生じることはないことと同値ですから、全体としての物は、何ものからも生じないという道理を述べていることになります。

　では、此の起源が無いとは、どう理解したらよいのか。此れは即ち、〝物とは恒に既存の状態にある〃ということを意味しているものと解釈出来ます。恒に既存である、此のことに於いて、物には起源が有り得ないのです。恒に既存であることに於いて、時間を遡及せんとする場合、其れは無限という事態に突き当たらざるを得ないということなのです。

では此の論理を未来に適用した場合には、如何なる結論に達するのでしょうか。此れも前に述べたごとく、物は何処まで下っていっても依然として物であり、決して前物質なるものには成り得ないという帰結になります。

甲から乙が生じるとした場合、甲を物とすれば、乙なるものとしては二つのもの、即ち、物と観念とが考えられることになります。がしかし、観念とは決して物即ち人間から離反せる形に於いては存在し得ない付随存在ですから、観念が存在するためには、其処には必ず〃物〃が存在していなければならないことになり、因って、乙と成り得るものは物でしかないと言って、何ら差し支えないことになります。とすれば、物からは物が生じる以外に無いのであって、此れまた結局は、無限なる未来へと繰り返されることとなるわけです。

斯くして、此れらの考察から、此の存在が無始無終であるとの結論に到達することになるわけです。

無限なる過去に始まり、無限なる未来に終わるのです。無限なる過去、此れ以上の過去は存在しません。無限なる未来、此れまた、此れ以上の未来は存在しません。無限なる過去から無限なる未来へ、此れはそのまま時間的最大を表すに外なりません。即ち、時間の全体を表しているのです。となれば、此のことからして、物とは時間の其の全てを存在するものであるとの定義が成立します。

時間の全てを存在するもの、全ての時間を存在し続けるもの、其れは完全です。

存在は無始無終なる点に於いて、正に完全なのです。

初めから終わりまで、時間の其の全体を存在し得るもの、其れは絶対なる存在者にして、真に人間の憧憬として崇められるべき無上の存在なのです。

此の世界の最大単位なるもの、其れは完全でなければならないのです。

# おわりに

〝此の世の最初の物は不変物〟

この発見は私自身にとって、直ぐには信じ難いものでした。

その一方で、これが更なる大きな発見につながる可能性を直感的に予感していたのです。果してその先には未だ人類が踏み入れたことのない未知の領域が、そして聖にして禁断の世界が展がっていたのです。

そこは究極の、そのまた究極の真理が横たわる、それこそは正に完全なる（補注其の2　一五〇頁）神の世界だったのです。

神は何故にいま、その存在を明かされたのでしょうか。神はいま何らかの気付きを示唆されていると感じるのは私一人でしょうか。

神と図らずも遭遇し得た心にいま、時とともに満ちてくる思いがあります。

「人よ、謙虚に、須く謙虚に在れ」と。
神はいま、人間に迷いを捨て、決断すべきを迫られているのでありましょう。
さあ、あなたも神の御前に、お進みください。
すべての人類に等しく、神の世界の扉が開かれますように——。

二〇二一年　夏

## 著者プロフィール

**大野 聖**（おおの きよし）

1947年生
埼玉県出身、在住
早稲田大学卒業
中学時代、クラブ活動で〝科学部天文班〟に所属
公務員時代、法律専門誌に情報公開に関する論文を発表
既刊書に『天地潰滅』（2016年　文芸社刊）『究極の真理　生か死か
人間とは　宇宙とは』（2017年　文芸社刊）がある

**神の存在を証明する!!** 究極の真理Ⅱ

2021年7月15日　初版第1刷発行

著　者　大野 聖
発行者　瓜谷 綱延
発行所　株式会社文芸社
〒160-0022 東京都新宿区新宿1－10－1
電話 03-5369-3060（代表）
03-5369-2299（販売）

印刷所　株式会社フクイン


ISBN978-4-286-22770-2